中華國學經典百部

精華本

商君书

［战国］商鞅 著

宿磊 译注

中国书店

图书在版编目（CIP）数据

商君书 /（战国）商鞅著；宿磊译注 . —北京：
中国书店，2023.10
（中华国学经典百部：精华本）
ISBN 978-7-5149-2963-8

Ⅰ . ①商… Ⅱ . ①商… ②宿… Ⅲ . ①商鞅变法②《商
君书》—译文 Ⅳ . ① B226.24

中国版本图书馆 CIP 数据核字（2022）第 075425 号

商君书
〔战国〕商鞅 著　宿磊 译注
责任编辑：武悦

出版发行：中国书店
地　　址：北京市西城区琉璃厂东街 115 号
邮　　编：100050
电　　话：（010）63171753（总编室）
　　　　　（010）63017857（发行部）
印　　刷：三河市嘉科万达彩色印刷有限公司
开　　本：787mm × 1092mm　1/32
版　　次：2023 年 10 月第 1 版第 1 次印刷
字　　数：120 千
印　　张：6（全 300）
书　　号：ISBN 978-7-5149-2963-8
定　　价：1490.00 元（全 50 册）

前言

商鞅（约前390—前338），战国时期的政治家、改革家，法家代表人物，卫国国君的后裔，姓公孙，名鞅，又称卫鞅。后率领秦军在河西之战中打败魏国，立功获封于商地，号为商君，故称商鞅。

商鞅好刑名之学，受到秦孝公重用后，通过十年变法使秦国强大起来，为后来秦国统一六国奠定了基础。但是，商鞅变法触犯了当时秦国权贵的利益，特别是对太子的老师公子虔、公孙贾动用酷刑，招致怨恨。公元前338年，支持商鞅的秦孝公去世，商鞅立即被公子虔等人诬告谋反，最终战死，尸体被车裂示众，株连三族。

历史上对商鞅的评价褒贬不一，众说纷纭，难以评断。李斯在《谏逐客书》中有言："孝公用商鞅之法，移风易俗，民以殷盛，国以富强，百姓乐用，诸侯亲服。获魏之师，举地千里，至今富强。"对商鞅持肯定态度。司马迁虽然承认商鞅变法的功劳"家给人足"，却也认为"商君，其天资刻薄人也"，可见司马迁对商鞅持部分否定态度。苏轼在《东坡志林》中认为"秦之所以富强者，孝公务本力穑之效，非鞅流血刻骨之功也。而秦之所以见疾于民，如豺虎毒药，一夫作难而子孙无遗种，则鞅实使之”，不仅否定商鞅变法的功绩，而且将秦国之灭亡直接归因于商鞅的严酷刑罚。

商鞅的思想主要体现在《商君书》中，《商君书》也称《商子》《商君》，《汉书·艺文志》著录二十九篇，现存二十六篇，其中第十六篇、第二十一篇有目无文，实存二十四篇。一般认为本书是商鞅及其一派法家的著作合编。其中内容涉及政治、经济、军事、法治等诸多方面，虽然吕思勉等学者认为《商君书》“精义较少，欲考法家之学，当终管韩而已”，但是对于研究战国形势和古代思想的发展，商鞅的确是绕不过去的人物之一，《商君书》所保存的思想内容，因此有着重要的历史和思想价值。

因《商君书》并非出于一人之手，故体例繁杂，脱文错简情况严重，本书在校释过程中参考高亨《商君书注译》、蒋礼鸿《商君书锥指》、章诗同注《商君书》等。因学识有限，书中错误之处在所难免，敬请读者批评指正。

目 录

更法第一

【解题】

更法，变法。此篇记载了商鞅与甘龙、杜挚争论变法的问题。秦孝公最终支持商鞅变法的主张。

【原文】

孝公平①画②，公孙鞅、甘龙、杜挚三大夫御③于君，虑世事之变，讨正法之本，求使民之道。

【注释】

①平：评议。

②画：筹划。

③御：侍候。

【译文】

秦孝公与大臣商讨治国大计，公孙鞅、甘龙、杜挚三位大夫侍奉在他面前，他们考虑社会时势的变化，探讨政治法度的根本原则，寻求统治人民的方法。

【原文】

君曰："代立①不忘社稷，君之道也；错②法务明③主长④，臣之行也。今吾欲变法以治，更礼以教百姓，恐天下之议我也。"

【注释】

①代立：接替君位，指立为国君。

②错：通“措”，施行。

③明：彰明。

④主长：君主的权威。

【译文】

秦孝公说：“继位做了国君而不忘记国家，是国君的原则。实施法度彰显国君的权威，是臣子的行动。现在我想要通过变更法度来治理国家，改革礼制来教化百姓，又担心天下人批评我。”

【原文】

公孙鞅曰：“臣闻之：‘疑[①]行无名，疑事无功。’君亟[②]定变法之虑，殆[③]无顾天下之议之也。且夫有高人之行者，固见负于世；有独知之虑者，必见骜[④]于民。语曰：‘愚者暗[⑤]于成事，知者见于未萌。民不可与虑始，而可与乐成。’郭偃[⑥]之法曰：‘论至德者，不和于俗；成大功者，不谋于众。’法者，所以爱民也；礼者，所以便事也。是以圣人苟可以强国，不法其故；苟可以利民，不循其礼。”

孝公曰：“善！”

【注释】

①疑：迟疑，犹疑不决。

②亟：赶快。

③殆：应当。

④骜（áo）：通“謷”，诋毁。

⑤暗：昏暗，不明白。

⑥郭偃：春秋时晋国大夫，辅佐晋文公变法。

【译文】

公孙鞅说：“我听说：‘行动迟疑就不会有成就，做事犹豫就不会成功。’国君应当赶快下定变法的决心，不顾忌天下人怎么议论。何况超出常人的行为，本来就会被世俗所非议；独到的见识也一定会被常人所诋毁。俗语说：‘愚笨的人在事情完成之后还不明白，智慧的人在事情还没有显露萌芽时就能先预见到。人民，不可以和他们谋划事业的开端，只能够和他们欢庆成功。’郭偃的法书上说：‘讲究崇高道德的人不附和世俗。成就大事业的人不与大众商议。’法度，是用来爱护人民的；礼制，是为了方便做事的。所以圣人治理国家，如果能够使国家富强，就不沿用旧的法度。如果能够使人民得到好处，就不遵循旧的礼制。”

孝公说：“好！”

【原文】

甘龙曰：“不然。臣闻之：‘圣人不易民①而教，知者不变法而治。’因民而教者，不劳而功成；据法而治者，吏习②而民安。今若变法，不循秦国之故，更礼以教民，臣恐天下之议君。愿孰③察之。”

【注释】

①易民：改变民俗。

②习：熟悉，通晓。

③孰：通“熟”，仔细，认真。

【译文】

甘龙说：“不是这样。臣听说：‘圣人不改变旧民俗来施行教化，有智慧的人不变更旧法度来治理国家。’顺应人民的旧习俗实施教化，不用费事就能成功；根据旧法度治理国家，官吏熟悉礼法，人民也能安乐。现在如果变更法度，不遵循秦国旧制，要改革礼制教化人民，我担心天下人要批评国君了。希望国君认真考虑这件事。”

【原文】

公孙鞅曰：“子之所言，世俗之言也。夫常人安于故习，学者溺①于所闻。此两者，所以居官②而守法，非所与论于法之外也。三代不同礼而王，五霸不同法而霸。故知者作法，而愚者制焉；贤者更礼，而不肖者拘焉。拘礼之人不足与言事，制法之人不足与论变。君无疑矣。”

【注释】

①溺：沉溺，执迷不悟。

②居官：处在官位上。

【译文】

公孙鞅说：“您所说的，正是世俗的言论。平庸的人固守旧的习俗，读书的人局限于自己的见闻。这两种人，只能当官守法，却不能同他们讨论变更旧法的事情。夏、商、周这三个朝代礼制不同而都能成就王业，春秋时五霸的法制不同，而都能成就霸业。所以有智慧的人能创制法度，而愚昧的人受法度的制约；贤人改革礼制，而没有才能的只能受礼制的制约。受礼制制约的人，不能够同他商讨国事。被法制限制的人，不能同他讨论变法。国君不必疑虑。”

【原文】

杜挚曰：“臣闻之：‘利不百，不变法；功不十，不易器。’臣闻：‘法古无过，循礼无邪[①]。’君其图[②]之！”

【注释】

①邪：斜，不正。

②图：考虑。

【译文】

杜挚说：“我听说：‘没有百倍的利益，不要变更法度；没有十倍的功效，不要更换器具。’我听说：‘效法古人没有什么过错，遵循旧礼不会有偏差。’国君要好好考虑啊。”

【原文】

公孙鞅曰：“前世不同教，何古之法？帝王不相复[①]，何礼之循？伏羲、神农教[②]而不诛[③]；黄帝、尧、舜诛而不怒[④]；及至文、武，各当[⑤]时而立法，因事而制礼。礼法以时而定；制令各顺其宜；兵甲器备，各便其用。臣故曰：治世不一道，便国不必法古。汤、武之王也，不循古而兴；殷、夏之灭也，不易礼而亡。然则反古者未必可非，循礼者未足多⑥是也。君无疑矣。”

【注释】

①复：重复，因循。

②教：教化。

③诛：惩罚。

④怒：超过，过分。

⑤当：顺应。

⑥多：重视。

【译文】

公孙鞅说：“古代的政教各不相同，应该效法哪个朝代呢？帝王的法度不相因袭，遵循什么礼制呢？伏羲、神农教化不施以惩罚；黄帝、尧、舜虽然施以惩罚却不过分；到了文王和武王的时代，他们各自顺应时势而建立法度，根据具体情况制定礼制。礼制和法度都要根据时代制定，法制、命令都要符合实际的需要，兵器、铠甲、器具、设备都要方便应用。所以我说，治理国家并非一种方法，对国家有利就不一定非要效法古人。商汤、周武的兴起，不是因为他们遵循古法；殷朝和夏朝的灭亡，也不是因为他们更改旧的礼制。既然如此，违反旧法度的人，不一定会遭到非议；遵循旧礼制的人，不一定值得肯定。国君不要迟疑了。”

【原文】

孝公曰：“善！吾闻穷巷①多怪，曲学②多辨③。愚者笑之，智者哀焉；狂夫乐之，贤者丧④焉。拘世以议，寡人不之疑矣。”于是遂出垦草令。

【注释】

①穷巷：偏僻的里巷。

②曲学：拘泥一隅之学。

③辨：争辩。

④丧：悲悼。

【译文】

孝公说："好。我听说穷僻小巷里的人大多少见多怪，学识浅陋的人常常多诡辩，愚昧的人嘲笑的事，正是有智慧的人感到悲哀的；狂妄的人开心的事，正是有才能的人伤悼的。对于那些拘泥于世俗的议论言词，我不再疑惑变法之事了。"于是，颁布了开垦荒地的法令。

垦令第二

【解题】

垦令，开垦荒地的法令。本篇叙述了商鞅的重农政策，提出了二十条法令，并对这些法令进行了论证和解释。

【原文】

无宿①治，则邪官不及为私利于民，而百官之情②不相稽③。百官之情不相稽，则农有余日；邪官不及为私利于民，则农不败。农不败而有余日，则草必垦矣。

【注释】

①宿：过夜，指拖延。

②情：事情。

③稽：滞留，拖延。

【译文】

不准有过夜的政务，那样奸邪的官吏就来不及从百姓那里谋求私利。百官的公务不拖延，那么农民就会有更多的时间来耕田；奸邪的官吏没有时间到百姓中谋取私利，那么农民就不会受到损害。农民不受损害，就会有更多的时间来耕田，荒地就一定能得到开垦了。

【原文】

訾[①]粟[②]而税，则上壹[③]而民平。上壹则信[④]；信则官不敢为邪。民平则慎；慎则难变。上信而官不敢为邪，民慎而难变，则下不非上，中不苦[⑤]官。下不非上，中不苦官，则壮民疾[⑥]农不变。壮民疾农不变，则少民学之不休。少民学之不休，则草必垦矣。

【注释】

①訾：衡量，计算。

②粟：指代粮食。

③壹：统一。

④信：明确，信实。

⑤苦：怨恨。

⑥疾：积极。

【译文】

根据粮食的产量来征收地税，那么国家的地税制度统一，百姓就会感到公平。国家的地税制度统一，就会使政策信实可靠，政策信实可靠大臣便不敢谋私利。百姓感到公平，就会谨慎，百姓慎重就不会轻易出生异心。如此百姓就不会非议国君，心中也不会怨恨官吏。百姓不非议国君，心中不怨恨官吏，那么壮年人就会积极务农而不改业。壮年人积极务农，那么年轻人就会效仿他们而不懈怠。年轻人向他们学习而不懈怠，荒地就一定能得以开垦了。

【原文】

无以外权[1]任[2]爵与官[3]，则民不贵学问，又不贱[4]农。民不贵学，则愚；愚则无外交；无外交，则国安而不殆。民不贱农，则勉[5]农而不偷[6]。国安不殆，勉农而不偷，则草必垦矣。

【注释】

①外权：外国势力。

②任：任用。

③与官：给予官职。

④贱：轻视。

⑤勉：努力。

⑥偷：懈怠。

【译文】

不因为务农以外的事情来给人封爵加官，那样百姓就不会重视学问，也不会轻视农业生产。百姓不重视学问，就会愚昧；百姓愚昧，就不会到外国交游；百姓不到外国交游，国家就安全没有危险。农民不轻视农业，就会努力务农而不懈怠。国家安全没有危险，农民努力务农不懈怠，荒地就一定能得到开垦了。

【原文】

禄厚而税多，食口[1]众者，败农者也。则以其食口之数赋而重使[2]之，则辟[3]淫游惰之民无所于食。无所于食则必农，农则草必垦矣。

【注释】

①食口：贵族的食客。

②使：役使。

③辟：邪僻。

【译文】

贵族的俸禄丰厚而收税多，食客的人数也众多，这是危害农事的。按照他们吃饭的人口数收税，并加重役使他们，那么这些邪僻、浮荡、游闲、懒惰的人就没有地方混饭吃。这些人没处混饭吃，就必然会去务农。这些人都去务农，那么荒地就一定能得到开垦了。

【原文】

使商无得粜[1]，农无得籴[2]。农无得籴，则窳惰[3]之农勉疾。商不得粜，则多岁[4]不加乐。多岁不加乐，则饥岁无裕利。无裕利，则商怯[5]；商怯，则欲农。窳惰之农勉疾，商欲农，则草必垦矣。

【注释】

①粜（tiào）：卖粮。

②籴（dí）：买粮。

③窳（yǔ）惰：懒惰。

④多岁：丰年。

⑤怯：胆怯，顾虑。

【译文】

商人不得卖粮食，农民不得买粮食。农民不得买粮食，懒惰的农民就会努力积极务农。商人不得卖粮食，丰年就不能谋取厚利。丰年不能谋取厚利，荒年就更没有厚利可图。没有厚利可图，商人就会有顾虑；商人有顾虑，就会想去务农。懒惰的农民努力务农，商人也想去务农，荒地就一定能得到开垦了。

【原文】

声[1]服[2]无通于百县，则民行作不顾，休居不听。休居不听，则气不淫。行作不顾[3]，则意必壹[4]。意壹而气不淫，则草必垦矣。

【注释】

①声：音乐，指靡靡之音。

②服：服饰，指奇装异服。

③顾：观看。

④壹：专一。

【译文】

不准音乐和异服在各郡县流行，农民外出劳作时就不会看见奇装异服，休息时听不到靡靡之音。休息时听不到靡靡之音，精神就不会浮荡。劳作时看不见奇装异服，心思就会专一。心思专一而不浮荡，荒地就一定能得到开垦了。

【原文】

无得取庸[1]，则大夫家长不建[2]缮[3]，爱子不惰食，惰民不窳，而庸民无所于食，是必农。大夫家长不建缮，则农事不伤。爱子、惰民不窳，则故田[4]不荒。农事不伤，农民益农，则草必垦矣。

【注释】

①庸：通“佣”，雇工。

②建：建筑。

③缮：修缮房屋。

④故田：已开垦的旧田。

【译文】

不准雇用佣工，大夫家长就没有办法雇人建筑修缮房屋，他们娇生惯养的儿女就无法不劳而食，懒惰的人也不能偷懒，靠给人做佣工生活的人就没处混饭吃，这样他们就必然去务农。大夫家长不修建房屋，农业生产就不会受到危害。娇生惯养的儿女和懒惰的人不再偷懒，那么原有的农田就不会荒芜。农业生产不会受危害，农民更加努力从事农业生产，荒地就一定能得到开垦了。

【原文】

废逆旅[①]，则奸伪、躁[②]心、私交、疑农之民不行，逆旅之民无所于食，则必农。农则草必垦矣。

【注释】

①逆旅：旅馆，客店。

②躁：浮躁。

【译文】

禁止开设旅馆，奸邪伪诈、见异思迁、私下交游、不专心务农的人就不会四处周游，开旅馆的人就没法谋生，他们必然会去务农。这些人都去务农，荒地就一定能得到开垦了。

【原文】

壹山泽，则恶农、慢惰、倍欲[①]之民无所于食。无所于食，则必农。农则草必垦矣。

【注释】

①倍欲：贪婪加倍。

【译文】

国家统一管理山林湖泽，厌恶务农、怠慢懒惰、贪婪十足的人就没处吃饭。没处吃饭，那么必然会去务农。这些人都去务农，荒地就一定能得到开垦了。

【原文】

贵酒肉之价，重其租，令十倍其朴[①]。然则商贾少，民不能喜酣奭[②]，大臣不为荒[③]饱。商贾少，则上不费粟[④]。民不能喜酣奭，则农不慢。大臣不荒饱，则国事不稽，主无过举。上不费粟，民不慢农，则草必垦矣。

【注释】

①朴：成本。

②酣奭（shì）：纵酒过度。

③荒：放纵。

④费粟：浪费粮食。

【译文】

抬高酒肉的价钱，加重收取酒肉的赋税，让税额高出成本的十倍。这样的话，卖酒肉的商人就会减少，农民也就不能纵情饮酒，大臣就不会吃喝享乐。经商的人少了，国家就不会浪费粮食。农民不能纵情饮酒，就不会懒惰。大臣不荒废政事，国家的政事就不会拖延，国君就不会有错误的措施。国家不浪费粮食，农民不懈怠务农，荒地就一定能得到开垦了。

【原文】

重刑而连其罪①，则褊急②之民不斗，很③刚之民不讼④，怠惰之民不游，费资之民不作，巧谀、恶心⑤之民无变⑥也。五民者不生于境内，则草必垦矣。

【注释】

①连其罪：连坐。

②褊急：心胸狭隘、性情急躁。

③很：古“狠”字。

④讼：争辩。

⑤恶心：居心不良。

⑥变：通“谝”，欺骗。

【译文】

加重刑罚，建立连坐制度，那些气量小、性格暴躁的人就不再敢打架，凶狠强悍的人便不敢争辩，懒惰的人不敢到处游荡，挥霍的人不会再产生，花言巧语、居心不良的人就不敢再进行欺诈。国内不存在这五种人，荒地就一定能得到开垦了。

【原文】

使民无得擅徙[①]，则诛愚[②]、乱[③]农之民无所于食，而必农。愚心躁欲之民壹意，则农民必静[④]。农静，诛愚、乱农之民欲农，则草必垦矣。

【注释】

①徙：迁徙，搬迁。

②诛愚：迟钝愚昧。

③乱：蛊惑，扰乱。

④静：安静，指安土重迁。

【译文】

使百姓不得随便搬迁，愚昧迟钝、不安于农业的人就会没有地方混饭吃，就必然会去务农。愚昧无知、浮躁贪婪的人专心从事农业生产，农民就必然会安心务农。农民安心务农，那些愚昧的人、不安心务农的人也想去务农，荒地就一定能得到开垦了。

【原文】

均出余子[①]之使令，以世[②]使之，又高其解舍，令有甬官[③]食槩[④]。不可以辟[⑤]役，而大官未可必得也，则余子不游事[⑥]人，则必农。农则草必垦矣。

【注释】

①余子：嫡长子以外的子弟。

②世：出身。

③甬官：掌管徭役的官吏。

④槩：量米粟时刮平斗斛用的木板。

⑤辟：通“避”。

⑥事：侍奉。

【译文】

发布让贵族嫡长子以外弟子，担负徭役赋税的法令，根据他们的出身让他们服徭役，再提高他们免除服徭役的条件，让他们从掌管徭役的官吏那里领取粮食，而不超过标准。他们就不可能逃避徭役，想做大官也不一定能够获得，他们就不再四处游说投靠权贵，就必然会去务农。这些人去务农，荒地就一定能得到开垦了。

【原文】

国之大臣诸大夫，博闻、辩慧[①]、游居之事，皆无得为，无得居游于百县，则农民无所闻变见方[②]。农民无所闻变见方，则知农无从离其故事，而愚农不知[③]，不好学问。愚农不知，不好学问，则务疾农。知农不离其故事，则草必垦矣。

【注释】

①辩慧：能言善辩。

②方：广博。

③知：通“智”，才智。

【译文】

国家的大臣大夫们，不准做有关博学多闻、能言巧辩、到外周游之类的事，不准到各郡县去闲居游说，那么农民就没有地方听到奇谈怪论。农民没有地方听到奇谈怪论，那么有智慧的农民无法脱离原本从事的农业，愚昧的农民就会无知，不喜欢学问。愚昧的农民无知，不喜欢学问，就会积极务农。有智慧的农民不脱离原本所从事的农业，荒地就一定能得到开垦了。

【原文】

令军市[①]无有女子。而命其商令人自给甲兵，使视军兴。又使军市无得私输粮者。则奸谋无所于伏[②]，盗粮者无所售，输粮者不私稽[③]，轻惰之民不游军市。盗粮者无所售，送粮者不私稽，轻惰之民不游军市，则农民不淫，国粟不劳[④]，则草必垦矣。

【注释】

①军市：军队专有的市场。

②伏：隐藏。

③稽：囤积。

④劳：耗损。

【译文】

命令军队的市场上不得有女子。命令市场上的商人给军队准备好铠甲兵器，让他们时刻关注军队的行动；让军队市场不得私运粮食。那些奸诈狡猾的人就没有地方隐藏粮食，偷盗军粮的人无处销售，运粮食的人不能私藏，轻浮懒惰的人不能到军队市场上游荡。偷盗军粮的人无处销售，运粮食的人不能私藏，轻浮懒惰的人不能到军队市场上游荡，那么农民就不能被蛊惑，国家的粮食就不会亏空，荒地就一定能得到开垦了。

【原文】

百县之治一形，则徙迁[①]者不饰[②]，代者不敢更其制，过[③]而废[④]者不能匿其举。过举不匿，则官无邪人。迁者不饰，代者不更，则官属少而民不劳。官无邪，则民不敖[⑤]。民不敖，则业不败。官属少，则征[⑥]不烦[⑦]。民不劳，则农多日。农多日，征不烦，业不败，则草必垦矣。

【注释】

①徙迁：官职变动。

②饰：掩饰，装饰。

③过：犯错。

④废：免官。

⑤敖：游逛，离开故土。

⑥征：征收赋税。

⑦烦：繁多。

【译文】

各郡县的政令制度一致，到期离任和升官的官吏就没有办法粉饰自己，继任的官吏也不能更改已有的制度，犯错被免官的人不能隐瞒过失。犯错不能隐瞒，官吏中就会没有不正派的人。官职变动而离任的人不用粉饰自己，继任者不敢更改制度，官吏的从属人员就会减少，百姓的负担就不会过重。官吏中没有不正派的人，百姓就不用离开故土。百姓不离开故土，农业就不会受到危害。官吏的从属人员少，征收的赋税就不会多。百姓的负担不重，从事农业生产的时间就多。从事农业生产的时间多，征收的赋税也不多，农业不受损害，荒地就一定能得到开垦了。

【原文】

重关市①之赋，则农恶商，商有疑惰之心。农恶商，商疑惰，则草必垦矣。

【注释】

①关市：关口和集市。

【译文】

加重关口和市场上的商品税，农民就会厌恶经商，商人就会产生疑虑懈怠思想。农民厌恶经商，商人有疑虑，荒地就一定能得到开垦了。

【原文】

以商之口数使①商，令之厮、舆、徒、重②者必当名③，则农逸而商劳。农逸则良田不荒；商劳则去来赍④送之礼无通于百县。则农民不饥，行不饰。农民不饥，行不饰，则公作⑤必疾，而私作不荒，则农事必胜。农事必胜，则草必垦矣。

【注释】

①使：役使。

②厮、舆、徒、重：都是仆役的别称。重，通“童”。

③当名：与名册相符。

④赍：赠送。

⑤作：耕田。

【译文】

根据商人家的人口数量摊派徭役，让他们家中厮、舆、徒、童等各种仆役都按名册服徭役，农民的负担减轻，商人的负担就会加重。农民的负担减轻，良田就不会荒芜；商人的负担加重，就不会来往各地疲于送礼。那么农民就不会挨饿，出门不用讲排场。农民不挨饿，做事不讲排场，他们就一定会积极努力耕作公田，私田也不会荒废，那么农业生产就会有好的发展。农业生产发展好了，荒地就一定能得到开垦了。

【原文】

令送粮无得取僦①，无得反庸②，车牛舆重③役必当名。然则往速徕④疾，则业不败农。业不败农，则草必垦矣。

【注释】

①僦（jiù）：租赁，指雇车。

②反庸：即返佣，车返回时揽载私货。

③舆重：车的载重。

④徕（lái）：通“来”。

【译文】

命令运送粮食不准雇其他车，不准运粮车辆在返回时揽载私货，车、拉车的牛、车的载重量服役时必须同注册登记时相符。这样，运粮车就会往返迅速，运粮的环节就不会耽误农业生产。运粮不耽误农业生产，荒地就一定能得到开垦了。

【原文】

无得为罪人请于吏而馕[①]食[②]之，则奸民无主。奸民[③]无主，则为奸不勉[④]。为奸不勉，则奸民无朴[⑤]。奸民无朴，则农民不败。农民不败，则草必垦矣。

【注释】

①馕（xiǎng）：通“饷”，送饭。

②食（sì）：使……吃。

③奸民：犯法的人。

④勉：受到鼓励。

⑤朴：依靠。

【译文】

不准为犯罪的人向官吏求情给他们送饭，乱法犯禁的人就没有依靠。乱法犯禁的人没有依靠，做坏事就得不到鼓励。做坏事得不到鼓励，乱法犯禁的人就失去了靠山。乱法犯禁的人没了靠山，农民就不会受到危害。农民不会受到危害，荒地就一定能得到开垦了。

农战第三

【解题】

农战，即农耕和作战。本篇论述了农战是国家强盛的根本。并从九个方面论述了农战的重要性，根据农战中的功绩授官加爵，不从事农战，不能授予官爵。

【原文】

凡人主之所以劝[①]民者，官爵也；国之所以兴者，农战也。今民求官爵，皆不以农战，而以巧言虚道[②]，此谓劳民。劳民者，其国必无力；无力者，其国必削。

【注释】

①劝：勉励。

②虚道：空泛而无用的说教。

【译文】

国君用来鼓励百姓的，是官职和爵位；国家得以强盛的根本，是农耕和军事。现在百姓用来求取官职和爵位，不靠农耕和作战，而是靠花言巧语和空洞无物的说教，这就让百姓懈怠。百姓懈怠，国家就必然没有力量；国家没有力量，就必然会被削弱。

【原文】

善为国者，其教民也，皆作壹[①]而得官爵。是故不做壹，不官无爵。国去言则民朴，民朴则不淫②。民见上利之从壹空③出也，则作壹。作壹，则民不偷④营⑤。民不偷营，则多力。多力，则国强。今境内之民皆曰："农战可避，而官爵可得也。"是故豪杰皆可变业，务学《诗》《书》，随从外权，上可以求显⑥，下可以求官爵；要靡事⑦商贾，为技艺，皆以避农战。具备，国之危也。民以此为教者，其国必削。

【注释】

①作壹：工作专一，专务农战。

②淫：放纵，放荡。

③空：通"孔"。

④偷：苟且。

⑤营：经营。

⑥显：荣誉。

⑦靡事：平庸的人。

【译文】

善于治国的君主，教化民众都是要求通过专心从事农战来取得官职和爵位。因此不专心农战的人就不会得到官职和爵位。国家废除空谈，百姓就会朴实，百姓朴实就不会放荡。百姓看见国家的赏赐都是从农战这一途径发出的，就会专心从事农战。百姓专心从事农战，就不会苟且谋求其他事。百姓不苟且谋求其他事，民力就会增强。民力增强，国家就会强盛。现在国内的百姓都说："农战可以逃避，官职和爵位照样能得到。"所以杰出的人都要改变本职，努力学习《诗》《书》，追随别国的权势，最好的可以显达，次一点也能得到官爵；那些平庸的人便去经商，从事手工业，都为了逃避农战。以上情况如果都出现，国家就要危险了。国君用以上方式来教化百姓，国家就一定会被削弱。

【原文】

善为国者，仓廪虽满，不偷[①]于农；国大民众，不淫于言，则民朴壹。民朴壹，则官爵不可巧而取也。不可巧取，则奸不生。奸不生则主不惑。今境内之民及处官爵者，见朝廷之可以巧言辩说取官爵也，故官爵不可得而常[②]也。是故进则曲主[③]，退则虑所以实其私，然则下卖权矣。夫曲主虑私，非国利也，而为之者，以其爵禄也。下卖权，非忠臣也，而为之者，以末货[④]也。然则下官之冀[⑤]迁者，皆曰："多货，则上官可得而欲也。"曰："我不以货事上而求迁者，则如以狸饵鼠尔，必不冀矣；若以情[⑥]事上而求迁者，则如引诸绝[⑦]绳而求乘[⑧]枉木[⑨]也，愈不冀矣。二者不可以得迁，则我焉得无下动众取货以事上，而以求迁乎？"百姓曰："我疾农，先实公仓，收余以食亲。为上忘生而战，以尊主安国也。仓虚，主卑，家贫。然则不如索官。"亲戚交游合[⑩]，则更虑[⑪]矣。豪杰务学《诗》《书》，随从外权；要靡事商贾，为技艺，皆以避农战。民以此为教，则粟焉得无少，而兵焉得无弱也！

【注释】

①偷：怠惰。

②常：常规，指封官受爵的法典。

③曲主：曲意逢迎君主。

④末货：追逐财利。

⑤冀：希望。

⑥情：实情。

⑦绝：断。

⑧乘：升，登。

⑨枉木：曲木。

⑩合：一致。

⑪更虑：另作考虑。

【译文】

善于治国的君主，粮仓虽然充盈也不放松农耕；国家地广人多，也不能空谈泛滥，那么百姓就会朴实专一。百姓朴实专一，那么官爵就不能靠花言巧语来取得。不能靠花言巧语来取得官爵，那么奸邪的人就不会产生。奸邪的人不产生，国君就不会受迷惑。现在国内的百姓以及有官爵的人看见朝廷中能靠巧言空谈来获得官爵，所以认为官爵的赐予不是通过法规获得。于是他们上朝便曲意逢迎国君，回家便谋取私利，这样就会在私底下出卖权力。曲意逢迎国君谋取私利，就会不利于国家，他们这样做是为了得到爵位和厚禄。私下卖弄权力就不是忠臣，他们这样做，是为了追求钱财。如果这样的话，希望升迁的人便会说："钱财多了，就能得到想要的高官。"并且还说："不用金钱贿赂上级而想升迁，就像用猫做饵引老鼠上钩一样，必定没有希望。假如用实际政绩谋取升迁，就像牵着断绳要爬弯木，更没有希望了。因为这两种办法都不能得到升迁，我怎能不压榨百姓，搜刮钱财贿赂上级而争取升官呢？”百姓说：“我努力耕作，先装满公家的粮仓，再用余粮养活亲人，为国君舍生忘死去作战，使国君尊贵、国家安定。结果国家的粮仓空虚，国君地位卑微，家庭贫困，这样还不如谋个官职。”亲戚朋友在交流中达成共识，就会另作考虑不再务农。杰出的人会专心学习《诗》《书》，追随国外的权贵；普通人会去经商，从事手工业，从而逃避农战。用这种思想教化百姓，粮食怎能不减少，兵力怎能不被削弱呢？

【原文】

善为国者，官法明，故不任知虑[①]。上作壹，故民不偷营，则国力抟[②]。国力抟者强，国好言谈者削。故曰：农战之民千人，而有《诗》《书》辩慧者一人焉，千人者皆怠于农战矣。农战之民百人，而有技艺者一人焉，百人者皆怠于农战矣。国待农战而安，主待农战而尊。夫民之不农战也，上好言而官失常也。常官则国治，壹务则国富。国富而治，王之道也。故曰：王道非外，身作壹而已矣。

【注释】

①知虑：智慧和谋略。

②抟：聚集。

【译文】

善于治国的国君，任命官吏的制度严明，所以不任用有智慧和懂谋略的人。国君专心于农耕和作战，百姓就不会私下从事农耕作战以外的行业，国家的力量就会聚集在农耕作战上。国力聚集就会强大，国家崇尚空谈就会被削弱。所以说，从事农耕和作战的百姓有一千人，而其中有一个学《诗》《书》并且巧言善辩，一千人都会对农耕作战松懈。从事农耕作战的百姓有一百人，其中有一个人搞手工业，这一百人就都会松懈。国家依靠农耕和作战而安定，国君依靠农耕和作战才能尊贵。百姓不务农和作战，是因为国君喜欢空谈而不按制度选拔官吏。依法选拔官吏，社会就会安定；专心农战，国家就会富强。国家富强、政治清明，这是称王天下之道。所以称王之道没有其他办法，只是专心农战罢了。

【原文】

今上论材能知慧而任之，则知慧之人希[1]主好恶，使官制[2]物以适主心。是以官无常，国乱而不壹，辩说之人而无法也。如此，则民务焉得无多？而地焉得无荒？《诗》《书》、礼、乐、善、修、仁、廉、辩、慧，国有十者，上无使守战[3]。国以十者治，敌至必削，不至必贫。国去此十者，敌不敢至，虽至必却；兴兵而伐，必取；按兵不伐，必富。国好力者以难攻，以难攻者必兴；好辩者以易攻，以易攻者必危。故圣人明君者，非能尽其万物也，知万物之要也。故其治国也，察要而已矣。

【注释】

①希：通“睎”，观望。

②制：处理。

③守战：防守和进攻。

【译文】

现在的国君通过才能和智慧选拔官吏，聪明的人就会观察国君的好恶，处理政务想方设法迎合国君。因此选用官吏不遵循制度，国家就会混乱而没有统一的法度，善于巧舌游说的人就更加放肆。像这样，百姓从事的其他职业怎么会不多，而耕地又怎么能不荒芜呢？《诗》《书》、礼制、音乐、为善、修养、仁爱、廉洁、善辩、聪慧，国家有这十种事务，国君就无法让百姓防守作战。国家用这十种事务治理，敌人进犯，国土就一定被侵占，敌人即使不来国家也一定会贫穷。国家没有这十种事务，敌人不敢来犯，即使来了，也一定会退却；兴兵讨伐敌国，一定能取胜；不兴兵不讨伐，就一定会富足。国家加强农战并以农战的优势进攻，以农战优势进攻，就一定会兴旺；喜欢空谈的国家以不切实际的想法去进攻，以不切实际的想法去进攻就必然危险。所以圣人和明君并不是能运用万物，而是掌握了万事万物的规律和要领。因此他们治国，就是辨明要领罢了。

【原文】

今为国者多无要。朝廷之言治也，纷纷焉[①]务相易[②]也。是以其君惽[③]于说，其官乱于言，其民惰而不农。故其境内之民，皆化而好辩乐学，事商贾，为技艺，避农战。如此，则不远矣。国有事，则学民恶法，商民善化，技艺之民不用，故其国易破也。夫农者寡而游食者众，故其国贫危。今夫螟[4]、蟘[5]、蚼蠋[6]春生秋死，一出而民数年不食。今一人耕而百人食之，此其为螟、蟘、蚼蠋亦大矣。虽有《诗》《书》，乡一束，家一员，犹无益于治也，非所以反之之术也。故先王反之于农战。故曰：百人农一人居者，王；十人农一人居者，强；半农半居者，危。故治国者欲民者之农也。国不农，则与诸侯争权不能自持也，则众力不足也。故诸侯挠[7]其弱，乘其衰，土地侵削而不振，则无及已。

【注释】

①纷纷焉：杂乱的样子。

②易：改变。

③惛（hūn）：糊涂，迷惑不明。

④螟：吃禾苗的害虫。

⑤蟘（tè）：吃禾苗的害虫。

⑥蚼（qú）蠋（zhú）：危害禾苗的害虫。

⑦挠：侵扰。

【译文】

现在治理国家的人多半不得要领。朝廷讨论治国方略时，众说纷纭都想改变对方的观点。因此，国君被这些说法弄得迷惑不明，而官吏被这些言谈弄得混乱不堪，百姓也懒散不从事农耕。所以国内的百姓都变得喜好空谈，乐于学问，经商、搞手工业，逃避农耕和作战。如果这样，国家离灭亡就不远了。国家动荡，那些有知识的人讨厌法规，商人善于变化，手工业者派不上用场，国家就容易被攻破。务农的人少而靠游说谋生的人多，这个国家就会贫困危险。危害农作物的螟虫、螣、蚼蠋等害虫虽然春生秋死，但是只要一出现，庄稼就会歉收，百姓几年没有饭吃。现在一个人种地却供饭给一百人，这些人比螟虫、螣、蚼蠋等害虫对国家的危害更大。如果这样，即使每个乡有一捆、每家有一卷《诗》《书》，对治理国家也没有一点好处，也不是改变现状的途径。所以先王依靠农耕和作战来改变现状。因此说：如果一百人耕作，一个人闲着，国家就能称王天下；十个人农耕，一个人闲着，国家就会强大；有一半人农耕，一半人闲着，国家就危险了。所以治国的人都希望百姓务农，国家不重视农耕，就会在诸侯争霸时不能自保，因为可使用的民力不足。因此，其他诸侯国就趁它衰弱来侵扰它，趁它衰微，侵占它的国土，让它从此一蹶不振，到那时就来不及挽回了。

【原文】

圣人知治国之要，故令民归心于农。归心于农，则民朴而可正也，纯纯[①]则易使也，信[②]可以守战也。壹则少诈而重居[③]，壹则可以赏罚进也，壹则可以外用也。夫民之亲上、死制也，以其旦暮从事于农。夫民之不可用也，见言谈游士事君之可以尊身也，商贾之可以富家也，技艺之足以餬口[④]也。民见此三者之便且利也，则必避农。避农，则民轻其居，轻其居则必不为上守战也。凡治国者，患民之散而不可抟也，是以圣人作壹，抟之也。国作壹一岁者，十岁强；作壹十岁者，百岁强；作壹百岁者，千岁强；千岁强者王。君修赏罚以辅壹教，是以其教有所常，而政有成也。

【注释】

①纯纯：淳朴厚道。

②信：真诚，诚信。

③重居：安土重迁。

④餬口：糊口。餬，通“糊”。

【译文】

圣明的君主懂得治理国家的要领。因此命令百姓专心务农。专心务农，百姓就朴实好管理，淳朴就容易役使，诚信便可以守城作战。百姓专心农战，就很少奸诈而安土重迁，百姓专心农战，就能用奖赏和惩罚鼓励上进，百姓专心农战，就可以让他们来对外作战。百姓亲附国君、为了法令牺牲自己，是因为他们从早到晚都从事农耕。百姓如果不能被役使，是因为看到靠空谈游说的人以侍奉国君而尊贵，商人可以发财致富，手工业者也能养家糊口。百姓看到这三种人轻松又赚钱，就必定会逃避农耕。逃避农耕，百姓就会轻易迁居。轻易迁居，就一定不会替国君守土作战。凡是治国的人都害怕百姓散漫而不能凝聚。所以圣明的君主实行农战政策，就是为了把百姓凝聚起来。百姓专心于农战一年，国家就能强大十年；百姓专心于农战十年，国家就能强大一百年；百姓专心于农战一百年，国家就能强大一千年，强大一千年就能称王于天下。国君设定赏罚措施作为农战的辅助手段，所以对百姓的教化有常法，治理国家也就会有成效。

【原文】

王者得治民之至要，故不待赏赐而民亲上，不待爵禄而民从事[①]，不待刑罚而民致死。国危主忧，说者成伍，无益于安危也。夫国危主忧也者，强敌大国也。人君不能服强敌破大国也，则修守备，便地形[②]，抟民力，以待外事[③]，然后患可以去，而王可致也。是以明君修政作壹，去无用，止浮学事淫[④]之民，壹之农，然后国家可富，而民力可抟也。

【注释】

①从事：从事农战。

②便地形：占据有利地形。

③外事：外敌入侵。

④事淫：从事不正当职业。

【译文】

国君掌握了统治百姓最关键的原则，所以不等国君赏赐民众，民众便亲附国君，不等国君封爵加禄百姓便从事农战，不等国君使用刑罚百姓就拼死效命。当国家危亡、国君忧愁的时候，空谈之士成群，却对国家的安危没有任何好处。国家危亡、国君忧愁是因为遇上了强大的敌国。国君不能战胜强敌，攻破大国，就要修整防御设施，占据有利地形，聚集百姓力量，应付外敌入侵，这样外患可以消除，而称王天下的目的才能达到。因此明君治理国家应专心农战，去除那些无用的东西，禁止百姓学习浮华的学问、从事不正当职业，让他们专心农耕，这样国家就能富强，百姓的力量也可以凝聚了。

【原文】

今世主皆忧其国之危而兵之弱也，而强①听说者。说者成伍，烦②言饰辞而无实用。主好其辩，不求其实。说者得意，道路曲辩，辈辈③成群。民见其可以取④王公大人也，而皆学之。夫人聚党与，说议于国，纷纷焉，小民乐之，大人说之。故其民农者寡而游食者众。众则农者怠；农者怠则土地荒。学者成俗，则民舍农从事于谈说，高言伪议。舍农游食而以言相高也，故民离上而不臣者成群。此贫国弱兵之教也。夫国庸⑤民以言，则民不畜⑥于农。故惟明君知好言之不可以强兵辟土也，惟圣人之治国作壹，抟之于农而已矣。

【注释】

①强：勉强。

②烦：繁复。

③辈辈：一批一批。

④取：博取。

⑤庸：任用。

⑥畜：喜好。

【译文】

现在国君都担心国家危亡而军事力量薄弱，却愿意听游说之士的空谈。游说的人成群结队，烦琐空谈、巧言令色，却没有什么实际用处。国君爱听他们的辩论，不去深究这些言谈的实用价值，因此游说的人非常得意，不管走到哪里都巧言诡辩，成群结队。百姓看这些人能取悦王公大臣，便都效仿他们。这些人结成党羽，在国内议论纷纷，夸夸其谈，普通百姓喜欢这么做，王公大臣也这样做。因此国内百姓务农的少而靠游说吃饭的多。游说的人多，农耕的人便会懈怠，务农的人懈怠，田地就会荒芜。学习空谈成为风气，百姓就会放弃农耕而从事游说，高谈阔论。百姓放弃农耕，而靠游说吃饭，并且凭花言巧语互相争高低。所以百姓远离国君，而不臣服的人成群。这就导致国家贫穷、军队薄弱。如果国家凭空谈任用百姓，百姓就不喜欢农耕。因此只有英明的君主懂得喜欢空谈不能用来增强军队实力、开辟疆土，只有圣人用一种办法治国，就是把民众的力量集中在务农上罢了。

去强第四

【解题】

强，指百姓不听政令。本篇谈论采取什么措施消除百姓不听从政令的弊端，其措施主要是奖励农战，重罚轻赏等弱民政策。

【原文】

以强①去强②者，弱；以弱③去强者，强。国为善④，奸必多。国富而贫治，曰重富，重富者强；国贫而富治，曰重贫，重贫者弱。兵行敌所不敢行，强；事兴敌所羞为，利。主贵多变，国贵少变。国少物，削；国多物，强。千乘之国守千物者削。战事兵用而国强，战乱兵息而国削。

【注释】

①强：指强民政策，即用诗书礼乐教化百姓。

②强：指不听从命令的百姓。

③弱：弱民政策。

④善：仁政。

【译文】

运用强民的办法来去除不守法的百姓，国家会被削弱；运用弱民措施来去除不守法的百姓，国家就会强大。国家施行仁政，奸诈的人就一定会多。国家富强却当作贫国来治理，就会富上加富，富上加富国家就强大；国家贫穷却当作富国来治理，就会穷上加穷，穷上加穷的国家会衰弱。战争时能做敌人所不敢做的事就强大；做敌人认为耻辱的事就有利。国君贵在多谋善变，国家贵在政策稳定。国家财力少，就会削弱；国家财物多，就会强大。有一千辆兵车的国家只有一千件物资，国家就会削弱。打仗时士兵尽心拼命，国家就强大；打仗时军阵混乱，士兵怠慢，国家就会被削弱。

【原文】

农、商、官三者，国之常官①也。三官者，生虱害②者六：曰岁、曰食、曰美、曰好、曰志、曰行。六者有朴③，必削。三官之朴三人，六害之朴一人。以法治者，强；以政治者，削。常官治省，迁官治大。治大，国小；治小，国大。强之，重削；弱之，重强。夫以强攻强者亡，以弱攻强者王。国强而不战，毒输于内，礼乐虱害生，必削；国遂战，毒输于敌，国无礼乐虱害，必强。举劳任功曰强，虱害生必削。农少、商多，贵人贫、商贫、农贫，三官贫，必削。

【注释】

①官：职业。

②虱害：像虱子一样的危害。

③朴：根源。

【译文】

农民、商人、官吏三种人，是国家常见的职业。这三种人产生六种像虱子一样的危害：第一是岁害，第二是食害，第三是美害，第四是好害，第五是志害，第六是行害。这六种危害生了根，国家必然削弱。这三种职业的根源在这三种人身上，而六种危害的根源，却在国君一个人身上。能用法律来治国，国家就强大；只靠政教来治国，国家就被削弱。官吏任职长久，统治就简省，经常调动官吏，统治就繁复。统治烦琐，国家就弱小；统治简省，国家就会强大。百姓变得强大，国家就会被削弱；百姓被削弱，国家就会变得强大。采用强民政策来治理不服从命令的百姓，就要亡国。采用弱民政策来治理不服从命令的百姓，就能成就王业。国强大而不去战争，危害流散于国内，礼乐等危害就产生了，国家必然被削弱；国家发动战争，将危害散布于敌国，国内没有礼乐等危害，国家必然会强大。任用有功劳的人，国家就强大。危害产生，国家就会被削弱。农民少，商人多，那么王公贵族穷了，商人穷了，农民穷了，这三种人都变得贫穷了，国家必然会被削弱。

【原文】

国有礼、有乐、有《诗》、有《书》、有善、有修①、有孝、有弟②、有廉、有辩③。国有十者，上无使战，必削至亡；国无十者，上有使战，必兴至王。国以善民治奸民者，必乱至削；国以奸民治善民者，必治至强。国，用《诗》《书》、礼、乐、孝、弟、善、修治者，敌至，必削国；不至，必贫国。国不用八者治，敌不敢至；虽至，必却；兴兵而伐，必取；取，必能有之；按兵而不攻，必富。国好力，曰以难攻；国好言，曰以易攻。国以难攻者，起一得十；国以易攻者，出十亡百。

【注释】

①修：贤良。

②弟：通“悌”，敬爱兄长。

③辩：能言善辩。

【译文】

国家有礼、乐、《诗》《书》、慈善、贤良、孝敬父母、敬爱兄长、廉洁、能言善辩这十种东西，国君不让百姓去打仗，国家就一定会被削弱直至灭亡；国家没有这十种东西，君主让百姓去打仗，国家一定会兴盛直至称王天下。国家用所谓善良的人来统治所谓奸邪的人，就一定会发生动乱直至被削弱；国家用所谓奸邪的人来统治所谓善良的人，就一定会治理好直到强大。国家采有用礼、乐、《诗》《书》、慈善、贤良等思想来治理，敌人进犯，国家一定被削弱；敌人不来进犯，国家也一定会变穷。不采用这八种思想治理国家，敌人就不敢来进犯；即使进犯也一定会被打退；如果发兵去攻打其他国家，就一定能攻取土地；攻取后一定能占有它；如果按兵不动，不去攻打别国，就一定会富足。国家崇尚实力，叫作以农战的优势进攻；国家崇尚空谈，就会以不切实际的想法进攻。国家以农战的优势进攻攻打别国，用一分力气得到十倍的收获；国家以不切实际的想法攻打别国，出十分的力气却会丧失百倍的利益。

【原文】

重罚轻赏，则上爱民，民死上；重赏轻罚，则上不爱民，民不死上。兴国行罚，民利且畏；行赏，民利且爱。国无力而行知巧①者，必亡。怯民使以刑，必勇；勇民使以赏，则死。怯民勇，勇民死，国无敌者，强。强，必王。贫者使以刑，则富；富者使以赏，则贫。治国能令贫者富，富者贫，则国多力，多力者王。王者刑九赏一，强国刑七赏三，削国刑五赏五。

【注释】

①知巧：智谋巧诈。

【译文】

加重刑罚，减轻赏赐，国君就会爱护百姓，百姓就会为君主效死命；加重赏赐，减轻刑罚，国君就不会爱护百姓，百姓就不会为君主效死命。强盛的国家使用刑罚，百姓以为对自己有利心生畏惧；使用赏赐，百姓认为对自己有利而心中珍惜。国家没有实力，却使用智谋巧诈，国家就一定会灭亡。胆怯的百姓用刑罚役使他们，一定会勇敢；勇敢的百姓使用奖赏役使他们，他们就会效死命。胆小的百姓勇敢，勇敢的百姓效死命，国家就没有对手，这样就会强大。国家强大就一定能称王天下。用刑罚来役使穷人，让他们去务农，就会富；用奖赏役使富人，让他们买官，就会变穷。治理国家能让穷人变富，富人变穷，这个国家就能实力强大，实力强大就能称王天下。称王天下的国家用九分刑罚一分赏赐，强大的国家用七分刑罚，三分赏赐，弱国用五分刑罚，五分赏赐。

【原文】

国作壹[①]一岁，十岁强；作壹十岁，百岁强；作壹百岁，千岁强。千岁强者王。威，以一取十，以声[②]取实[③]，故能为威者王。能生[④]不能杀，曰自攻之国，必削；能生能杀，曰攻敌之国，必强。故攻害[⑤]、攻力、攻敌，国用其二舍其一，必强；令用三者，威，必王。

【注释】

①作壹：专心农战。

②声：声势。

③实：效果。

④生：积蓄实力。

⑤攻害：消灭虱害。

【译文】

国家专心农战一年，就能强大十年；专心农战十年，就能强大一百年；专心农战一百年，就能强大一千年。能够强大一千年的国家就能称王天下。国家有威势，就能以一取十，凭借声势来取得效果，所以有威势的国家能称王天下。能积蓄威势却不能使用威势的国家叫作攻打自己的国家，一定会被削弱；能积蓄实力也能使用实力的，叫攻打敌国的国家，一定会强大。因此，消灭虱害、使用实力、攻打敌国这三点，国家使用当中的二项，舍弃当中的一项，一定强大；假如三项全用，国家就会有威势，一定能称王天下。

【原文】

十里[①]断[②]者，国弱；五里断者，国强。以日治者王，以夜治者强，以宿[③]治者削。举民众口数，生者著死者削。民不逃粟，野无荒草，则国富，国富者强。

【注释】

①里：古代居民行政单位，五家为邻，五邻为里。

②断：决断。

③宿：过夜。

【译文】

政事在十里之内才能做出决断的，国家就弱；在五里之内能做出决断的，国家就强大。当天政务当天就能处理好的，就能称王天下，在当夜能处理好的，国家就强大，第二天才能处理好的，就会被削弱。登记百姓的人口数，活着的记录在册，死了的要从户口册上删除。这样，百姓就不能逃避赋税，田野上就没有荒草，那么国家就能富足，国家富足了，也就强大了。

【原文】

以刑去刑，国治；以刑致刑，国乱。故曰：行刑重轻[①]，刑去事成，国强；重重[②]而轻轻[③]，刑至事生，国削。刑生力，力生强，强生威，威生惠，惠生于力。举力以成勇战，战以成知谋。

【注释】

①重轻：轻罪重罚。

②重重：重罪重罚。

③轻轻：轻罪轻罚。

【译文】

用刑罚消除犯罪，国家就能安定；用轻刑招致犯罪，国家会混乱。所以说：加重刑于轻罪，刑罚不用也能将事情办成，国家才能强大；重罪重罚，轻罪轻罚，即使用了刑罚，犯罪的事情却不断发生，国家会被削弱。刑罚产生实力，实力能产生强大，强大能产生威势，威势能产生恩惠，恩惠从实力中产生。重视实力能激发勇敢作战，作战能产生出智慧谋略。

【原文】

金生粟而死，粟生而金生。本物①贱，事者众，买者少，农困而奸劝②，其兵弱，国必削至亡。金一两生于竟③内，粟十二石死于竟外；粟十二石④生于竟内，金一两死于竟外。国好生金于竟内，则金粟两死，仓府两虚，国弱。国好生粟于竟内，则金粟两生，仓府两实，国强。

【注释】

①本物：粮食。

②劝：鼓励。

③竟：通“境”。

④石：古代计量单位，十斗为一石。

【译文】

有了钱财就没有粮食。有了粮食就有金钱。粮食价格低贱，务农的人多，买粮食的人少，农民贫困，奸诈的商人受到鼓励，这样兵力就弱，国家一定会被削弱直到灭亡。国内赚一两黄金，就有十二石粮食运到国外；十二石粮食运到国内，就有黄金一两运到国外。国家喜欢在境内积聚黄金，那么黄金和粮食都会丧失，粮仓和金库都会空虚，国家会弱小；国家喜欢囤积粮食，那么粮食和黄金都能产生，粮仓、金库都会充盈，国家就强大。

【原文】

强国知十三数：竟内仓府之数，壮男壮女之数，老弱之数，官士之数，以言说取食者之数，利民之数，马、牛、刍藁①之数。欲强国，不知国十三数，地虽利，民虽众，国愈弱至削。国无怨民曰强国。兴兵而伐，则武爵武任②，必胜。按兵而农，粟爵粟任，则国富。兵起而胜敌，按兵而国富者王。

【注释】

①刍藁（gǎo）：喂牲口的干草。

②武爵武任：按军功赏赐和任用。

【译文】

强国要知道十三个数据：国内粮仓和金库数、壮年男子和壮年女子的数目；老人和小孩的数目，官吏和士人的数目，靠游说吃饭的人的数目，商人的数目，马、牛、牲口饲料的数目。想要使国家强大，却不知道这十三个数据，即使土地肥沃，百姓众多，国家也会越来越弱。国内没有对国君有怨言的百姓叫强国，发兵去攻打别国，就要按军功赏赐和任用，国家就一定会取胜。如果不打仗而从事农耕，那么就按生产粮食赏赐和任用，国家就一定富足。发兵打仗就能战胜敌人，不打仗就富足的国家就能称王天下。

说民第五

【解题】

本节主要论述了如何治理百姓的问题。针对百姓的好恶，制定赏罚政策，引导百姓从事农耕和作战，从而使国家强盛富足，并稳固国家对百姓的控制。

【原文】

辩慧，乱之赞①也；礼乐，淫佚之征②也；慈仁，过之母也；任誉，奸之鼠③也。乱有赞则行，淫佚有征则用，过有母则生，奸有鼠则不止。八者有群，民胜其政。国无八者，政胜其民。民胜其政，国弱；政胜其民，兵强。故国有八者，上无以使守战，必削至亡。国无八者，上有以使守战，必兴至王。

【注释】

①赞：辅助。

②征：征召。

③鼠：居处。

【译文】

巧言善变和聪明有智谋，是违法乱纪的助手；礼乐，是导致放荡的诱因；仁慈是犯罪的根源；担保举荐，是罪恶的藏身所。违法乱纪有了帮助就会盛行，放荡有了引导就能起来，错误有了根源就能产生，罪恶有了藏身的场所就无法制止。这八种事物结成群，百姓的力量就会超过政令。国家没有这八种事物，政令就能压制住百姓。百姓的力量超过政令，国家就会被削弱；政令能压制住百姓，兵力就会强大。所以，国家有这八种事物，国君就无法派遣百姓去防守和打仗，国家一定会被削弱直到灭亡。国家没有这八种事物，国君就有办法役使百姓去防守和打仗，国家就一定兴旺，直到称王天下。

【原文】

用善，则民亲其亲；任奸，则民亲其制。合[①]而复[②]者，善也；别而规[③]者，奸也。章[④]善，则过匿；任奸，则罪诛。过匿，则民胜法；罪诛，则法胜民。民胜法，国乱；法胜民，兵强。故曰：以良民治，必乱至削；以奸民治，必治至强。

【注释】

①合：联合。

②复：通“覆”，掩盖。

③规：通“窥”，窥视。

④章：彰显，彰明。

【译文】

用所谓的善民，百姓就只爱他们的亲人；用所谓的奸民，民众就会遵守法制。百姓联合起来就会互相掩盖过失，这就是所谓的善；使百姓疏远互相监督，这就是所谓的奸。表彰所谓的善民，百姓的过失就会被掩盖起来；任用所谓的奸民，百姓的过失就会受到惩罚。百姓的过失被掩盖，就会凌驾于法制之上；百姓的过失受到惩罚，国家的法制就能压服百姓。百姓凌驾于法制之上，国家就会混乱；法制压服住百姓，国家的兵力就强大。所以说，用所谓的良民治理国家，就一定会混乱直至被削弱；用所谓的奸民治理国家，就一定能安定直至强大。

【原文】

国以难①攻，起一取十，国以易②攻，出十亡百。国好力曰以难攻，国好言曰以易攻。民易为言，难为用。国法作③民之所难，兵用民之所易，而以力攻者，起一得十；国法作民之所易，兵用民之所难，而以言攻者，出十亡百。

【注释】

①难：难做的事，指农耕和作战。

②易：容易做的事，指空谈。

③作：鼓励。

【译文】

国家凭借依靠农战获得的实力去攻打其他国家，用一分力量能取得十分效果；国家凭借空谈去攻打其他国家，用十分力量会损失百倍利益。国家崇尚实力叫作用难以得到的东西去攻打别国，国家崇尚空谈叫作用易于获得的东西去攻打别国。百姓喜欢做空谈之事，国家就难以役使他们。国家的法规鼓励百姓作难以做到的事，战争中役使他们就会很容易，用实力攻打别国，动用一分力量能获得十倍的效果；国家的法规鼓励百姓去做容易做的事，战争中就很难役使他们，用空谈攻打别国，付出十分的力量会损失百倍。

【原文】

罚重，爵①尊；赏轻，刑威②。爵尊，上爱民；刑威，民死上。故兴国行罚，则民利；用赏，则上重③。法详，则刑繁；刑繁，则刑省。民不治则乱，乱而治之又乱。故治之于其治，则治；治之于其乱，则乱。民之情也治，其事也乱。故行刑，重其轻者，轻者不生，则重者无从至矣，此谓治之于其治者。行刑，重其重者，轻其轻者，轻者不止，则重者无从止矣，此谓治之于其乱也。故重轻，则刑去事成，国强；重重而轻轻，则刑至而事生，国削。

【注释】

①爵：爵位。

②威：威严。

③重：尊重。

【译文】

刑罚重，爵位就显得尊贵；赏赐少，刑罚就显得威严。爵位尊贵，国君以此爱护百姓；刑罚有威严，百姓才能为国君效死命。所以强盛的国家使用刑罚，百姓就能受益；使用奖赏，国君就会受到尊重。法令周详，刑罚就会繁多；刑罚繁多，受刑罚的人就会减少。百姓不治理，国家就会混乱，混乱了再去治理，就会更乱。所以在社会安定的时候治理国家，国家才能安定；在混乱的时候去治理，就会更乱。百姓心里希望国家安定，他们做的事情却使国家混乱。所以使用刑罚，对轻罪重罚，轻罪就不会发生，重罪就不能出现，这就叫国家安定的时候去治理。使用刑罚，重罪重罚，轻罪轻罚，轻罪就不能制止，重罪也无法制止，这就叫在混乱的时候去治理。所以轻罪重罚，就能不用刑罚而使社会安定，国家就会强大；重罪重罚，轻罪轻罚，虽然用了刑罚，混乱却仍然发生，国家就会被削弱。

【原文】

民勇，则赏之以其所欲；民怯，则杀①之以其所恶。故怯民使之以刑则勇，勇民使之以赏则死。怯民勇，勇民死，国无敌者必王。

【注释】

①杀：消除。

【译文】

百姓勇敢，就应该用他们想要的来奖赏他们；百姓怯懦，就用他们讨厌的消除他们的怯懦。因此，对胆小的百姓用刑罚消除胆怯，他们就会变得勇敢；对勇敢的百姓使用奖赏，他们就会拼死效命。胆小的百姓变勇敢，勇敢的百姓拼死效命。国家就会所向无敌，一定能称王天下。

【原文】

民贫则国弱，富则淫，淫则有虱，有虱则弱。故贫者益之以刑，则富；富者损之以赏，则贫。治国之举，贵令贫者富，富者贫。贫者富，国强；富者贫，三官[1]无虱[2]。国久强而无虱者必王。

【注释】

①三官：指农民、商人、官吏。

②虱：虱害，危害。

【译文】

百姓贫穷，国家就弱，百姓富裕，就会放纵自己，百姓放荡就会产生危害，有了危害，国家就会被削弱。所以刑罚役使穷人农战以增加财富，就会富足；对富裕的人用钱财换取爵位，减少他们的财富，就会变穷。治理国家的措施，最重要的是让贫穷的变富裕，富裕的变贫穷。贫困的变富裕，国家就会强大；富裕的变贫困，农民、官吏、商人这三种职业就不会产生危害。国家能长久强大没有危害，一定能称王天下。

【原文】

刑生力，力生强，强生威，威生德[1]，德生于刑。故刑多，则赏重；赏少，则刑重。民之有欲有恶也，欲有六淫[2]，恶有四难[3]。从[4]六淫，国弱；行四难，兵强。故王者刑于九而赏出一。刑于九则六淫止，赏出一则四难行。六淫止，则国无奸；四难行，则兵无敌。

【注释】

①德：恩惠。

②六淫：指上一章讲到的六种危害，即岁害、食害、美害、好害、志害、行害。

③四难：指务农、力战、出钱、告奸四件事。

④从：通“纵”，放纵。

【译文】

刑罚能产生实力，实力能产生强大，强大能产生威严，威严能产生恩惠，恩惠从刑罚中产生。因此刑罚多了，奖赏就丰厚；奖赏少了，刑罚就严厉。百姓有喜欢的也有讨厌的，民众所喜欢的有六种危害，讨厌的有四种。放任这六种危害，国家会被削弱；推行四种难做的事，兵力就强大。所以称王天下的国家，刑罚就用在多个方面，奖赏却只在农战方面。刑罚用于多方面，六种危害就能制止；奖赏出自农战一方面，四种难做的事就能推行。六种危害被制止，国家就没有奸邪，四种难做的事能推行，军队就没有敌手。

【原文】

民之所欲万，而利之所出一。民非一，则无以致欲，故作壹。作壹，则力抟；力抟，则强。强而用，重强。故能生力，能杀力[①]，曰攻敌之国，必强。塞私道以穷[②]其志[③]，启一门以致其欲。使民必先行其所恶，然后致其所欲，故力多。力多而不用，则志穷；志穷，则有私；有私，则有弱。故能生力，不能杀力，曰自攻之国，必削。故曰：王者，国不蓄力，家不积粟。国不蓄力，下用也；家不积粟，上藏也。

【注释】

①杀力：消耗力量。

②穷：断绝。

③志：私欲。

【译文】

百姓的欲望很多，能获得赏赐的只有农战一条路。百姓不通过这条路，就无法获得他们想要的，所以必须专心农战。专心农战，力量就能集中；力量集中国家就会强大。强大并且使用力量，就会加倍强大。所以能积蓄力量，也能消耗力量，叫作攻打敌人的国家，一定强大。堵塞谋求私利的门路，用来断绝私欲。只打开奖励百姓专心农战一条路，用来满足百姓的需求。让百姓一定先做他们所厌恶的，然后获得他们想得到的，这样国家的实力才能强大。实力强大却不使用，百姓的希望就会落空；希望落空，就会产生私心；有了私心，国家就会被削弱。因此，能够积蓄实力，不能使用实力的国家，叫作自己攻打自己的国家，一定会被削弱。所以说：能够称王天下的国家，不积蓄实力，百姓家中也不囤积粮食。国家不积蓄实力，是为了调动百姓的力量；百姓家中不存粮食，是国家要把粮食储藏在官仓里。

【原文】

国治：断①家王，断官强，断君弱。重轻，刑去。常官，则治。省刑，要②保③，赏不可倍④也。有奸必告⑤之，则民断于心。上令而民知所以应，器成于家而行于官，则事断于家。故王者刑赏断于民心，器用断于家。治明则同，治暗则异。同则行，异则止，行则治，止则乱。治则家断，乱则君断。治国者贵下断，故以十里断者弱，以五里断者强。家断则有余，故曰：日治者王。官断则不足，故曰：夜治者强。君断则乱，故曰：宿治者削。故有道之国，治不听君，民不从官。

【注释】

①断：决断。

②要：约定。

③保：连坐。

④倍：通“背”。

⑤告：告发。

【译文】

治理国家有以下几种情况：在百姓家中能决断事务的国家，能称王天下，由官吏来决断事务的国家就强大，由国君来决断事务的国家就弱小。轻罪重罚，刑罚就能消除。按法规来选用官吏，国家就太平。要减少刑罚，就在百姓中建立连坐制度，对应该奖赏的不可失信。发现奸邪一定要告发，这样百姓的心中就能判断是非。国君发布的命令百姓明白如何响应。器物在百姓家中做成，得到官府许可便能通行，那么事务就能在家中决断。所以国君如何奖赏和刑罚能让百姓心中十分明白，器物该是什么样在百姓家中明确。社会政治清明，百姓就会心齐，社会政治黑暗，百姓就会产生二心。百姓同国君同心，法令就能执行，百姓同君主异心，法令就不能实行。法令执行，国家就能治理好。法令不能执行，国家就会混乱。国家太平，民众在家中就能判断对错。国家混乱，那就要国君做决断。治国最可贵的是在百姓那里做出决断，所以在十里以内做出决断的国家弱，在五里以内做出决断的国家强。在百姓家就能决断的，官府的办事时间就会充足，所以说：当天能办完政务的国家称王天下。事务由官府决断，官府办事的时间就会不足，所以说：在当夜把一天的事务处理好的国家强大。事务必须由国君来决断的国家就会混乱。所以说第二天才能处理好政务的国家会被削弱。因此，治理得好的国家，官吏处理政务不必听从国君，百姓处理事务也不必听从官吏。

算地第六

【解题】

算地，即规划土地。本篇论述了如何合理开发、利用土地，以地养战，保证军队的实力，从而达到强国的目的。

【原文】

凡世主之患①：用兵者不量力，治草莱②者不度③地。故有地狭而民众者，民胜其地；地广而民少者，地胜其民。民胜其地，务开；地胜其民者，事徕④。开徕，则行倍。民过地，则国功寡而兵力少；地过民，则山泽财物不为用。夫弃天物遂民淫者，世主之务过也。而上下事之，故民众而兵弱，地大而力小。故为国任地者：山林居什一，薮泽居什一，溪谷流水居什一，都市蹊道居什一，恶田居什二，良田居什四，此先王之正律也。故为国分田数：小亩五百，足待一役，此地不任也；方土百里，出战卒万人者，数小也。此其垦田足以食其民，都邑遂路足以处其民，山林、薮泽、溪谷足以供其利，薮泽隄⑤防足以畜。故兵出，粮给而财有余；兵休，民作而畜长足。此所谓任地待役之律也。

【注释】

①患：弊病。

②草莱：荒地。

③度：计算。

④徕：招徕。

⑤隄：同“堤”。

【译文】

一般国君犯的弊病是：用兵作战不衡量军队实力，开垦荒地不计算土地多少。因此有的地方狭小而人口众多，人口数量超过土地面积；有的土地宽广而人口稀少，土地面积超过人口数量。人口数量超过土地面积，就要开辟荒地；土地面积超过人口数量，就要招募开荒。开荒招募，国家实力将成倍增长。人口数量超过土地面积，国家取得的功绩就少而且兵力不足；土地面积超过人口数量，国家的山林、湖泽、财力、物力就得不到充分利用。放弃自然资源，放纵百姓游手好闲，这是国君在政治上的过失，可是现在上下都这么做，因此人口虽多而军队实力却很弱，土地虽广而国力却很小。所以国君统治国家使用土地的比例是：山林占十分之一，湖泊沼泽占十分之一，山谷河流占十分之一，城市道路占十分之四，这是先王的明确规定。所以治国分配耕地数：五百亩的税收足以支持一场战役，这还是土地没有充分利用；土地方圆百里，派出兵士一万人，这个数目是人口少于土地。让开垦的土地足以养活那里的百姓，城市道路足以供那里的百姓居住，山林、湖泊、沼泽、山谷河流足够供应百姓生活资料，湖泊、沼泽的堤坝足够积蓄水源。因此，出征作战，粮食的供应充足财力有余；不打仗时，百姓从事农耕积存长久富足，这就叫以地养战的规则。

【原文】

今世主有地方数千里，食不足以待役实仓，而兵为邻敌，臣故为世主患之。夫地大而不垦者，与无地同；民众而不用者，与无民同。故为国之数①，务在垦草；用兵之道，务在壹赏。私利塞于外，则民务属于农；属于农，则朴；朴，则畏令。私赏禁于下，则民力抟于敌；抟于敌，则胜。奚②以知其然也？夫民之情，朴则生劳而易力，穷则生知而权利③。易力则轻死而乐用，权利则畏罚而易苦。易苦则地力尽，乐用则兵力尽。夫治国者，能尽地力而致民死者，名与利交至。

【注释】

①数：道理。

②奚：疑问副词。

③权利：权衡利弊。

【译文】

现在国君拥有方圆几千里的土地，而粮食不足以准备打仗、装满粮仓，可军队却与邻国为敌，所以我为国君担忧。土地广大却不去开垦，同没有土地一样；百姓众多却不使用，和没有百姓一样。所以治国的道理，关键在开垦荒地；用兵的办法，关键在于统一奖赏。堵塞百姓从耕战之外获得私利的途径，百姓就一定会归属到农耕上；百姓专心农耕，就一定淳朴。百姓淳朴，就一定畏惧法令。禁止官员私下奖赏，百姓的力量就会凝聚在对敌国打仗上；集中对敌作战，就能获胜。为何知道会这样呢？人之常情。百姓淳朴，就会劳作而不吝惜力气，人贫穷就会产生智谋而衡量利弊。认为出力容易，就会看轻死亡乐于被国君役使；权衡利弊就畏惧刑罚，就会认为农耕容易。以农耕为易，土地就能得到完全利用；乐于被国君役使，兵力就会得到充分的发挥。治国的人，能充分使用土地又能让百姓效死命，名誉和利益就都得到了。

【原文】

民之性：饥而求食，劳而求佚①，苦则索乐，辱则求荣，此民之情也。民之求利，失礼之法；求名，失性之常。奚以论其然也？今夫盗贼，上犯君上之所禁，而下失臣民之礼，故名辱而身危，犹不止者，利也。其上世之士，衣不煖②肤，食不满肠，苦其志意，劳其四肢，伤其五脏，而益裕广耳，非生③之常也，而为之者，名也。故曰：名利之所凑④，则民道之。

【注释】

①佚：安逸。

②煖：同“暖”。

③生：同“性”。

④凑：聚集。

【译文】

人的天性：饥饿就寻找食物，劳累就寻求安逸，痛苦就寻找欢乐，屈辱就寻找荣耀，这是人之常情。人追求私利时，就会违背礼法；追求名誉时，就会丧失人性。为什么这样说呢？现在盗贼对上违反国君的禁令，对下则丢失了臣子的礼仪，因此他们的名誉受到耻辱而生命有危险，仍然不想停止，这是因为利益的关系。古代的士人，衣服不能保暖，吃的不能填饱胃肠，磨炼自己的意志，辛劳自己的四肢，伤害自己的五脏，可心胸更加宽广，这不是正常的人性，他们这样做的原因是为名誉。所以说名誉和利益聚集之处，百姓就会趋向那里。

【原文】

主操名利之柄而能致功名者，数也。圣人审权以操柄，审数以使民。数者臣主之术，而国之要也。故万乘失数而不危，臣主失术而不乱者，未之有也。今世主欲辟地治民而不审数，臣欲尽其事而不立术，故国有不服之民，主有不令之臣。故圣人之为国也，入令民以属农，出令民以计战。夫农，民之所苦；而战，民之所危也。犯①其所苦行其所危者，计也。故民生则计②利，死则虑名。名利之所出，不可不审也。利出于地，则民尽力；名出于战，则民致死。入使民尽力，则草不荒；出使民致死，则胜敌。胜故而草不荒，富强之功可坐而致也。

【注释】

①犯：从事。

②计：衡量。

【译文】

国君掌握着给予百姓名利的大权，而能获得功名的原因是依靠统治方法。圣君谨慎使用权术把持权柄，审视统治方略来役使百姓。统治方法，是为君之术，治国的关键。所以，拥有万辆兵车的大国统治失误却不危险，国君统治方法失误而国家不混乱，这样的情况从没有过。现在国君想要开辟土地治理百姓却不审视统治政策，大臣想要尽责而不确立治国方法，所以国家才会有不服从的百姓，国君才会有不听命的大臣。因此圣君治理国家，对内让百姓来专心农耕，对外让百姓谋划对敌作战。农耕，是百姓认为辛苦的事；打仗，是百姓认为最危险的事。百姓做他们认为辛苦的事、做认为危险的事，这是出于利害衡量。所以百姓活着要考虑自己的利益，死会考虑名望。对名和利的来源，不能不考察。利来源于土地，百姓就会竭力耕地；名来源于对外作战，百姓就会拼死打仗。对内让百姓竭力种地，土地就不会荒芜；对外让民众拼死作战，就能战胜敌国。能战胜敌国而土地不荒芜，富强的政绩便唾手可得。

【原文】

今则不然。世主之所以加务者，皆非国之急也。身有尧、舜之行，而功不及汤、武之略者，此执柄之罪也。臣请语其过。夫治国舍势而任谈说，则身修而功寡。故事《诗》《书》谈说之士，则民游而轻其君；事处士，则民远而非其上；事勇士，则民竞而轻其禁；技艺之士用，则民剽①而易徙；商贾之士佚且利，则民缘[2]而议其上。故五民加于国用，则田荒而兵弱。谈说之士，资在于口；处士，资在于意；勇士，资在于气；技艺之士，资在于手；商贾之士，资在于身。故天下一宅，而圜[3]身资。民资重于身，而偏托势于外。挟重资，归偏[4]家，尧、舜之所难也。故汤、武禁之，则功立而名成。圣人非能以世之所易胜其所难也，必以其所难胜其所易。故民愚，则知可以胜之；世知，则力可以胜之。民愚，则易力而难巧；世巧，则易知而难力。故神农教耕而王天下，师其知也；汤、武致强而征诸侯，服其力也。今世巧而民淫，方傚[5]汤、武之时，而行神农之事，以随世禁。故千乘惑乱，此其所加务者，过也。

【注释】

①剽：轻疾。

②缘：攀附。

③圜（huán）：环绕。

④偏：偏私。

⑤傚：通“效”。

【译文】

现在不是这样。国君更加卖力做的，都不是国家的当务之急。他们有尧、舜的品德，但建立的功绩却不及商汤和周武王。这是掌权者自己的过错。请让我说说他们的过错：治理国家舍弃统治方法而任用空谈的人，就会自身品德好而功绩很少。所以任用读《诗》《书》的空谈游说之士，百姓就会四处游荡轻视国君；任用那些隐逸之士，百姓就会疏远并且非议国君；任用勇士，百姓就会争强好胜不重视国君的禁令；任用手工业者，百姓就轻疾好动喜欢迁移；商人生活安逸且能赢利，百姓就会攀附他们而议论国君。如果这五种人被国家选用，土地就会荒芜而军队的战斗力会削弱。空谈的人的资本在于口才，隐士的资本在于高洁心志，勇士的资本在于勇气，手工业者的资本在于手艺，商人的资本在于他自身。所以，这些人以四海为家，是因为周身都是他们的资本，百姓把谋生的资本看得比生命还重要，而且依靠外国势力。挟带借以安身立命的资本归附私门，就是尧、舜也难以将国家治理好。因此商汤和周武王禁止这种情况，做到建立功业。圣明的国君不用容易做到的驾驭他们难以做到的，必须用他们难以做到的来驾驭容易做到的。百姓愚昧，可以用智慧战胜他们；有智慧，就用力量战胜他们。百姓愚昧，就会以出力为易，以技巧为难；世人有技巧，就会以智慧为易而不愿出力气。神农氏教百姓耕田而称王天下，这是因为百姓要学习他的智慧；商汤和周武王组建强大的军队征服诸侯，这是因为诸侯屈服于他们的力量。现在世人多机巧而且百姓多放荡，正是效仿商汤和周武王的时候，可是国君们却做神农当年做的事，这是治国的禁忌。所以拥有千辆兵车的大国混乱，这是因为他们卖力做的事情是错误的啊！

【原文】

民之生：度而取长，称而取重，权而索利。明君慎观三者，则国治可立，而民能可得。国之所以求民者少，而民之所以避求者多，入使民属于农，出使民壹于战，故圣人之治也，多禁以止能，任力以穷诈。两者偏用，则境内之民壹；民壹，则农，农则朴，朴则安居而恶出。故圣人之为国也，民资藏于地，而偏托危于外。资藏于地则朴，托危于外则惑。民入则朴，出则惑，故其农勉而战戢也。民之农勉则资重，战戢①则邻危。资重则不可负而逃，邻危则不归于外。无资归危外托，狂夫之所不为也。故圣人之为国也，观俗立法则治，察国事本则宜。不观时俗，不察国本，则其法立而民乱，事剧②而功寡。此臣之所谓过也。

【注释】

①戢（jí）：通“辑”，聚集。

②剧：繁多。

【译文】

人的常情：用尺量的东西会取长的，用称重的东西会取重的，衡量得失会选择对自己有利的。圣明的国君谨慎考察这三种情况，治理国家的原则就能确立，百姓的才能就可以得到利用。国家对百姓的要求不多，可百姓躲避国君要求的办法很多。对内役使百姓专心务农，对外让百姓专心于作战，所以圣明的国君治理国家，多制定禁令来限制百姓的才能，利用民力来断绝欺诈行为。这两个办法普遍使用，国内的百姓就会齐心，齐心，就会专心务农；专心务农就会淳朴，淳朴就会安居而厌恶外出。所以圣明的国君治理国家，让百姓将资本寄托到土地上，而在外国却只能陷入危险之中。民众将资本寄托到土地上就会淳朴，在外陷于危险就会迷惑。百姓在国内淳朴，在外国迷惑，他们就会尽力从事农耕而一致进行作战。百姓努力耕作资本就会增多，作战团结一致邻国就会危险。百姓资本多就不方便出逃，邻国危险就不会去投靠。没有资本去投靠危险的邻国，就是疯子也不会这么做。所以圣明的国君治理国家，观察风俗确立法规，就能把国家治理好。考察国家的根本就能治理得当。不观察当时的风俗，不考察国家的根本，国家法令即使制定百姓也会混乱。政务繁忙而功效少，这就是我所说的过失。

【原文】

夫刑者，所以禁邪也；而赏者，所以助禁也。羞辱劳苦者，民之所恶也；显荣佚乐者，民之所务也。故其国刑不可恶而爵禄不足务也，此亡国之兆也。刑人复①漏②，则小人辟淫③而不苦刑，则徼倖④于上以利求。显荣之门不一，则君子事势以成名。小人不避其禁，故刑烦。君子不设其令，则罚舛。刑烦而罚行者，国多奸，则富者不能守其财，而贫者不能事其业，田荒而国贫。田荒，则民诈生；国贫，则上匮赏。故圣人之为治也，刑人无国位，戮人⑤无官任。刑人有列，则君子下其位；衣锦食肉，则小人冀其利。君子下其位则羞功，小人冀其利则伐⑥奸。故刑戮者所以止奸也，而官爵者所以劝功也。今国立爵而民羞之，设刑而民乐之，此盖法术之患也。故君子操权一政以立术，立官贵爵以称之，论劳举功以任之，则是上下之称平。上下之称平，则臣得尽其力，而主得专其柄。

【注释】

①复：掩藏。

②漏：漏网。

③辟淫：放辟邪侈。

④徼倖：侥幸。

⑤戮人：受过刑罚的罪人。

⑥伐：夸耀。

【译文】

刑罚是禁止奸邪的手段，赏赐是辅助刑罚的手段。羞辱劳苦是百姓所憎恶的，显荣逸乐是百姓追求的。如果国家的刑罚不让人害怕，爵禄不值得百姓去追求，这就是亡国的预兆了。如果该受刑罚的人躲避漏网，百姓就邪僻放荡，不以刑罚为苦，对于国君存着侥幸心理，而去追求私利。如果显荣不止一种途径，官吏就要攀附权贵获取名誉。百姓不怕犯法，刑罚就要繁多；官吏不执行法令，刑罚就要错乱。刑罚繁多而又错乱，国家里作奸之人就会多起来。这样，富人就不能保有他们的财产，穷人就不得从事他们的本业，土地就会荒芜，国家就会贫穷。土地荒芜，百姓就变得诡诈。国家贫穷，国君就缺少财物进行赏赐。所以圣明的国君治国，受过刑的人在国家没有地位，犯过罪的人在朝廷上没有官做。如果受过刑的人做官，官吏就会轻视自己的地位；如果犯过罪的人锦衣玉食，百姓就会贪图非分利益。官吏轻视自己的职位，就会以忠于职守为耻。百姓贪图非分的利益，就会夸耀奸巧。所以刑罚是禁止作奸的手段，官爵是鼓励人们立功的手段。现在国家设置官爵而百姓却以尽忠职守为耻；制定刑罚，而百姓却以犯法为荣。这就是法度上有弊端。因此，国君必须掌握权柄，统一政策制定方针。封官受爵奖赏百姓。根据功劳任用群臣。这样，上下就会平衡了。上下平衡，臣民就能为国尽力，国君也就能掌握自己的权柄。

开塞第七

【解题】

开塞，即开启已阻塞的道路。本篇反对效法古人，囿于现状。认为需要根据不同的社会形势，采取不同的治国策略。

【原文】

天地设而民生之。当此之时也，民知其母而不知其父，其道亲亲而爱私。亲亲则别，爱私①则险②。民众而以别险为务，则民乱。当此时也，民务胜而力征③。务胜则争，力征则讼，讼而无正，则莫得其性也。故贤者立中正，设无私，而民说④仁。当此时也，亲亲废，上⑤贤立矣。凡仁者以爱利为务，而贤者以相出为道。民众而无制，久而相出为道，则有乱。故圣人承之，作为土地、货财、男女之分。分定而无制，不可，故立禁。禁立而莫之司⑥，不可，故立官。官设而莫之一，不可，故立君。既立君，则上贤废而贵贵立矣。然则上世亲亲而爱私，中世上贤而说仁，下世贵贵而尊官。上贤者以道相出也，而立君者使贤无用也。亲亲者以私为道也，而中正者使私无行也。此三者非事相反也，民道弊而所重易也，世事变而行道异也。

【注释】

①私：自己。

②险：邪恶。

③征：争夺。

④说：通“悦”。

⑤上：尚。

⑥司：掌管。

【译文】

开天辟地之后人类诞生。在这个时候，人们知道自己的母亲却不知道自己的父亲，他们处世的原则是爱亲人喜欢私利。爱亲人，就会区别亲疏，喜欢谋求私利，就会心存邪恶。人多又区别亲疏，心存邪恶，人类就会混乱。这个时期百姓都想制服对方竭力争夺财物。制服对方就会发生的争斗，争夺财物就发生纠纷，发生纠纷又没有一个公正的标准，所以人人都不会顺心，因此贤能的人制定了公正的标准，推行无私原则，因此人们喜欢仁爱。这个时候，只爱亲人的思想被废除了，崇尚贤能的思想确立了。凡是仁爱的人，都把爱护别人、利他当作原则，贤能的人把举贤当作原则。人口众多，而没有制度，长期把举贤作为治理准则，就会混乱。所以圣人顺应发展形势，制定了土地、财货、男女等的归属原则。名分确定了没有制度，不行，因此设立法令；法令确立而没有人管理，不行，因此设立了官职；官吏设立而没有人统一领导不行，所以设立君主。因此崇尚贤德的思想被废除，尊重显贵的思想确立了。如此看来，上古时代人们爱亲人而喜欢私利，中古时代人们推崇贤能而喜欢仁爱，近世人们尊重权贵、官吏。崇尚贤德的人，遵循的原则是推举贤人，可是确立君主的地位后，崇尚贤能的准则就没有用了。亲近亲人，是以自私自利为原则，而确立公正标准后，自私自利的原则就没用了。这三个时代，不是做的事互相违背，而是遵循的原则出现问题，人们重视的东西改变了，社会形势变了，处世的标准也就不一样了。

【原文】

故曰：王道有绳[1]。夫王道一端，而臣道亦一端，所道则异，而所绳则一也。故曰：民愚，则知[2]可以王；世知，则力可以王。民愚，则力有余而知不足；世知，则巧有余而力不足。民之生：不知则学，力尽而服。故神农教耕而王天下，师其知也；汤、武致强而征诸侯，服其力也。夫民愚，不怀知而问；世知，无余力而服。故以知王天下者并[3]刑，以力征诸侯者退德。

【注释】

①绳：准则，标准。

②知：通“智”。

③并：摒除，排除。

【译文】

所以说：统治天下是有准则的。国君统治天下是一种途径，大臣辅助国君治理天下又是另一种途径，他们的途径不同，所遵行的准则却一样。所以说百姓愚笨，凭借智慧就能称王天下；世人聪明，凭借实力就可称王天下。百姓愚笨，力量有余而智慧不足；世人聪明，就智巧有余而力量不足。人的本性：不懂就会学习，力量用尽了就会顺服。所以神农教会百姓农耕而称王天下，因为百姓要学习他的智慧；商汤和周武王强大征服诸侯，这是顺服他的实力。百姓愚笨，没有知识就要请教；世人聪明，当用尽力量时就会顺服。所以靠智慧称王天下的就会摒除刑罚，用实力来征服诸侯的就不用德政。

【原文】

圣人不法古，不修①今。法古则后于时，修今则塞于势。周不法商，夏不法虞，三代异势，而皆可以王。故兴王有道，而持②之异理。武王逆取而贵顺，争天下而上让。其取之以力，持之以义。今世强国事兼并，弱国务力守，上不及虞、夏之时，而下不修汤、武。汤、武之道塞，故万乘莫不战，千乘莫不守。此道之塞久矣，而世主莫之能废③也，故三代不四。非明主莫有能听也，今日愿启之以效。

【注释】

①修：遵循，学习。

②持：守。

③废：通“发”。

【译文】

圣人不效法古代，也不遵循现状。效法古代就会落后于时代，遵循现状就会被社会形势限制。周代不效法商代，夏代不效法虞舜时代。三代社会形势不同，却都能够称王天下。所以建立王业有一定的方法，而守业的办法却不相同。周武王靠叛逆的方法夺取天下，却又推崇顺从国君，用武力夺取天下，又崇尚谦让；靠武力夺取天下，靠礼制守业。现在强国致力兼并别国，弱国则尽力防守，远不及虞、夏时代，近又不遵循商汤、周武王的治国原则。商汤、周武王的治国方法被堵塞，所以有万辆兵车的国家没有不打仗的，有千辆兵车的国家没有不防守的。商汤、周武王的治国方法被塞堵很久了，现在的国君没有谁能开启这些方法，因此，没有出现第四个像夏、商、周三代那样的朝代。不是英明的国君就听不进去我的这番话，今天我会用实际效果来说明这个道理。

【原文】

古之民朴以厚，今之民巧以伪。故效于古者，先德而治；效于今者，前刑而法。此俗之所惑也。今世之所谓义者，将立民之所好，而废其所恶。此其所谓不义者，将立民之所恶，而废其所乐也。二者名贸[①]实易，不可不察也。立民之所乐，则民伤其所恶；立民之所恶，则民安其所乐。何以知其然也？夫民忧则思，思则出[②]度；乐则淫，淫则生佚。故以刑治则民威[③]，民威则无奸，无奸则民安其所乐。以义教则民纵，民纵则乱，乱则民伤其所恶。吾所谓刑者，义之本也；而世所谓义者，暴之道也。夫正民者，以其所恶，必终其所好；以其所好，必败其所恶。

【注释】

①贸：交换，变易。

②出：产生。

③威：畏惧。

【译文】

古代的百姓朴实又宽厚，现在的百姓智巧而虚伪。所以在古代有效的方法，是以道德教化为首位的德治；现在治理国家有效的方法，是把刑罚放在首位使用法治。这是世俗之人不能理解的。现在所说的“义”，就是确立百姓所喜好的，废除百姓所厌恶的。现在所说的“不义”，就是要确立百姓所厌恶的，废除百姓所喜好的。二者名实不同，不可以不弄清楚。确立百姓所喜好的，百姓就会被他们厌恶的伤害；确立百姓所厌恶的，百姓就会享受他们所喜好的。怎么知道是这样呢？人忧虑就会思考，思考做事就能合乎法度；人快乐就放荡，放荡了就会犯错。因此用刑罚治理百姓就会畏惧，畏惧就不会做邪恶的事，不做邪恶的事，百姓就可以享受他们的快乐。用道义来教化百姓，百姓就会放纵自己，放纵自己就会作乱，作乱百姓就会被他们所厌恶的伤害。我所说的刑，就是实施道义的根本；而世俗之人所说的义是暴乱的原因。治理百姓，用他们所厌恶的去治理，民众最终一定能得到他们喜好的；用他们所喜好的来治理，百姓一定会被他们所厌恶的伤害。

【原文】

治国刑多而赏少，故王者刑九而赏一，削国赏九而刑一。夫过有厚薄，则刑有轻重；善有大小，则赏有多少。此二者，世之常用也。刑加于罪所终，则奸不去；赏施于民所义，则过不止。刑不能去奸而赏不能止过者，必乱。故王者刑用于将过，则大邪不生；赏施于告奸，则细过不失。治民能使大邪不生、细过不失，则国治。国治必强。一国行之，境内独治。二国行之，兵则少寝①。天下行之，至德复立。此吾以效刑之反②于德而义合于暴也。

【注释】

①寝：平息，停止。

②反：通“返”。

【译文】

政治修明的国家刑罚多而赏赐少。所以成就王业的国家，刑罚占九分赏赐占一分。实力弱小的国家，赏赐占九分，刑罚占一分。过失有厚有薄，刑罚有重有轻；善行有大有小，赏赐有多有少。刑罚与赏赐这两种手段是世人常用的。犯罪后才施加刑罚，奸邪就不会断绝；施行道义以后才赏赐，过失就不能停止。刑罚不能消除奸邪，赏赐不能制止过失，国家必乱。因此，成就王业的国君，把刑罚用在百姓犯罪之前，这样大的奸邪就不会产生；把赏赐用在告发奸邪方面，小的罪过也不致漏网。治理百姓能够使大的奸邪不产生、小的罪过不漏网，国家就太平了。国家太平就必定强大。一个国家这样做，国家就可以独享清明。两国这样做，战争就可以稍微平息。天下都这样做，最高的道德再次建立起来。

所以我认为杀戮、刑罚能够复归于道德，而“义”反倒合于残暴。

【原文】

古者民藂[①]生而群处，乱，故求有上也。然则天下之乐有上也，将以为治也。今有主而无法，其害与无主同；有法不胜其乱，与无法同。天下不安无君，而乐胜其法，则举世以为惑也。夫利天下之民者莫大于治，而治莫康[②]于立君，立君之道莫广于胜法，胜法之务莫急于去奸，去奸之本莫深于严刑。故王者以赏禁，以刑劝；求过不求善，藉[③]刑以去刑。

【注释】

①藂：即“丛”字，丛生，聚集。

②康：安宁。

③藉：借助，凭借。

【译文】

古代百姓聚集群居，秩序混乱，所以希望有首领。因此天下愿意有首领，是为了让他治理天下。现在有国君而没有法规，它的危害与没有国君一样；有法规而不能制止混乱，和没有法规一样。天下都不希望没有国君，却喜欢超越法规的限制，天下都对此感到困惑。没有比国家太平对百姓更有利的了，而太平没有比确立国君的地位更好的事。确立君主的原则没有比施行法治的意义更大的；实施法治的任务没有比除掉邪恶更紧迫的了；去掉邪恶的根本没有比严厉刑罚更彻底的了。所以称王天下的国君用赏赐禁止犯罪，用刑罚规范百姓；只追究百姓的过错，不理会百姓的善举，用刑罚杜绝犯罪。

壹言第八

【解题】

本篇论述以赏罚为手段，统一政令，调动并集中百姓力量，积极从事农战。

【原文】

凡将立国，制度不可不察也，治法不可不慎也，国务不可不谨也，事本不可不抟也。制度时[①]，则国俗可化，而民从制；治法明，则官无邪；国务壹，则民应用；事本抟，则民喜农而乐战。夫圣人之立法化俗，而使民朝夕从事于农也，不可不知也。夫民之从事死制也，以上之设荣名、置赏罚之明也，不用辩说私门而功立矣。故民之喜农而乐战也，见上之尊农战之士，而下[②]辩说技艺之民，而贱游学之人也。故民壹务，其家必富，而身显于国。上开公利而塞私门，以致民力；私劳不显于国，私门不请于君。若此而功臣劝，则上令行而荒草辟，淫民止而奸无萌。治国能抟民力而壹民务者，强；能事本而禁末者，富。

【注释】

①时：合乎时宜。

②下：轻视。

【译文】

凡要建立国家，对于制度的订立不能不仔细考察，政策法令的制定不能不慎重研究，国家政务不能不谨慎处理，从事根本之业不能不集中力量。制度合于时势，国家的风俗就能改变，百姓就遵守制度；法令明确，官吏就不会做奸邪的事；国家的政务统一，百姓就服从国家调遣；致力于根本之业的力量集中，百姓就会喜好农耕打仗。圣人确立法令改变风俗，是让百姓早晚从事农耕，这不能不清楚。百姓肯为国家拼死效力，是因为国君设置了荣誉和爵位，设置了明确的赏罚制度，百姓不用靠空谈、请托私人门路便能立功。百姓喜好从事农耕打仗，是因为看到国君尊重从事农耕作战的人，轻视空谈和手艺人，更鄙视游说的人。所以百姓专心农战，他的家一定富裕，自己也会在国中显达。国君打开公利的途径而堵住私利的门路，用这种办法吸引百姓的力量；为私人效力不能在国中显达，私人也不能在国君面前有所请托。如果这样立功的人受到鼓励，国君的命令得到执行，荒地能得到开垦，放荡的百姓就会平息，犯罪就不会发生。治国能集聚百姓的力量专心农战，国家就会强大；能够使百姓从事农耕，而禁止商业和手工业，国家就会富足。

【原文】

夫圣人之治国也，能抟力，能杀力。制度察则民力抟，抟而不化则不行，行而无富则生乱。故治国者，其抟力也，以富国强兵也；其杀力也，以事[①]敌劝民也。

夫开而不塞，则知长；长而不攻，则有奸。塞而不开，则民浑；浑而不用，则力多；力多而不攻，则有虱。故抟力以壹务也，杀力以攻敌也。治国者贵民壹，民壹则朴，朴则农，农则易勤，勤则富。富者废②之以爵，不淫；淫者废之以刑，而务农。故能抟力而不能用者必乱，能杀力而不能抟者必亡。故明君知齐二者，其国强；不知齐二者，其国削。

【注释】

①事：通“剚（zì）”刺，杀。

②废：衰败。

【译文】

圣人治国，能积聚力量，也能消耗力量。制度考察清楚，百姓的力量就能集中，力量集中却不教化就不能使用，使用民力却不能使百姓富裕就会发生动乱。因此，治国集聚百姓的力量是为了富国强兵；消耗百姓的力量，是为了杀敌立功。国君打开公利的门，而不堵住私利的门路，百姓的想法就会增长；想法多了而不攻打敌国，就会产生奸邪之事。堵住私利的门路而不打开公利的门路，百姓就会愚昧；百姓愚昧又不被使用，力量就增多；百姓的力量增多，又不攻打敌国，就会产生危害。所以集中力量专心务农，消耗力量用来攻击敌人。治国贵在使百姓专一，百姓专一就淳朴，淳朴就会务农，务农就会变得勤劳，勤劳就会富裕。对富人官爵消耗他们的财产，他们就不会放荡；用刑罚制止他们，他们就会去务农。所以能集中百姓的力量而不能使用国家一定会乱，只能使用百姓的力量而不能集中力量的国家一定灭亡。因此英明的国君知道调剂这两种方法，国家就强大；国君不知道调剂这两种方法，国家就会被削弱。

【原文】

夫民之不治者，君道卑[①]也；法之不明者，君长乱也。故明君不道卑、不长乱也；秉权而立，垂法[②]而治，以得奸于上而官无不[③]；赏罚断而器用有度。若此，则国制明而民力竭，上爵尊而伦徒举。今世主皆欲治民，而助之以乱。非乐以为乱也，安其故而不窥于时也。是上法古而得其塞，下修令而不时移，而不明世俗之变，不察治民之情，故多赏以致刑，轻刑以去赏。夫上设刑而民不服，赏匮而奸益多。故上之于民也，先刑而后赏。故圣人之为国也，不法古，不修今，因世而为之治，度俗而为之法。故法不察民之情而立之，则不成；治宜于时而行之，则不干[④]。故圣王之治也，慎法、察务，归心于壹而已矣。

【注释】

①卑：卑下，平庸。

②垂法：垂示法则。

③不：通“否”，恶。

④干：抵触。

【译文】

百姓没有治理好，是因为国君的统治措施不高明；法规不能严格执行，是因为国君助长了动乱。因此英明的国君不用不高明的统治措施，不助长动乱；掌握权柄，运用法规治理，在上能捕获奸邪之人，官吏就没有邪僻行为；赏罚决断，器具合法度。如果这样，国家的制度明确而百姓能竭尽全力，设置的爵位尊贵而且百姓能被任用。现在的国君都想要治理好百姓，却助长了动乱。并不是他们愿意助长百姓动乱，而是局限于过去的旧习而不清楚发展形势。向上效法古代结果却行不通，向下拘泥于现状却不因时改革，不明白社会风气在变化，不考察治理百姓的情况，因此滥用奖赏却招致刑罚，刑罚太轻又使奖赏无效。国君设置刑罚百姓却不服从，奖赏用尽了犯罪却更多了。所以国君对于百姓，都是用重罚轻赏。因此，圣人治国，不效法古代，不拘守现状，根据社会形势来制定政策，考察社会风俗来制定法令。如果不考察民情就设立法度，就不会成功；政策能适应当时形势来推行，就不会受到抵触。所以圣人治国，一定慎重，认真考察，将精力集中在农战上。

错法第九

【解题】

错法，即建立法度。商鞅的法度主要指赏罚。本篇论述了法度的重要性，以及实施赏罚时，必须遵循公开公正的原则。

【原文】

臣闻：古之明君错①法而民无邪，举事而材自练；行赏而兵强。此三者治之本也。夫错法而民无邪者，法明而民利之也。举事而材自练者，功分②明。功分明则民尽力，民尽力则材自练。行赏而兵强者，爵禄之谓也。爵禄者，兵之实也。是故人君之出爵禄也，道明。道明，则国日强；道幽③，则国日削。故爵禄之所道，存亡之机也。夫削国亡主，非无爵禄也，其所道过也。三王五霸其所道不过爵禄，而功相万者，其所道明也。是以明君之使其臣也，用必出于其劳，赏必加于其功。功赏明，则民竞于功。为国而能使其民尽力以竞于功，则兵必强矣。

【注释】

①错：通“措”，安置。

②功分：职分。

③幽：隐秘。

【译文】

我听说：古代英明的国君推行法度，百姓就没有奸邪；办起事来，人才就会练达；设置奖赏，兵力就会强大。这三个方面是治国的根本。推行法度百姓没有奸邪，因为法度严明百姓自觉受益。办起事来人才练达，是因为职分分明，职分分明，百姓就尽全力，百姓尽全力，人才就会练达。设置奖赏兵力就会强大，是针对爵禄而言。爵位是军队的实质奖赏。因此，国君赐予爵禄，必须公开公正。遵循公开公正的原则国家就会日益强大；不公正，国家就会日益削弱。所以赐予爵禄的原则是国家存亡的关键。被削弱的国家，亡国的国君，并不是没有赐予爵禄，而是他们遵循的原则是错误的。三王五霸所运用的治国之法也不过是爵禄，可是达到的效果比其他国君高万倍，因为他们公开公正地奖赏。因此，英明的国君役使臣子和百姓时，任用一定因为他们的功劳，奖赏一定因为他们的功绩。论功行赏原则明确，百姓就会争着立功。治国能让民众尽力争着立功，兵力就强大了。

【原文】

同列[1]而相臣妾者，贫富之谓也；同实而相并兼者，强弱之谓也；有地而君或强或弱者，乱治之谓也。苟有道，里地足容身，士民可致也；苟容市井，财货可聚也。有土者不可以言贫，有民者不可以言弱。地诚[2]任，不患无财；民诚用，不畏强暴。德明教行，则能以民之有为己用矣。故明主者用非其有使非其民。

【注释】

①同列：地位相等。

②诚：确实。

【译文】

处在同等地位却做了奴婢，是贫富不同所造成的；相同实力却被兼并，是国家强弱不同所造成的；拥有土地做了国君，有的强大有的弱小，这是政治混乱与政治清明不同所造成的。如果统治有方，方圆一里的土地足可安身，把人才和百姓吸引过来。如果容身集市，便可以聚积财富。有土地就不能说贫穷，有百姓就不可以说弱小。土地确实被充分使用就不愁没有财富；百姓被充分役使，就不会畏惧强敌。国君品德圣明，教化能执行，百姓的力量就能为自己所用了。所以英明的国君能利用不是自己的东西，役使不属于自己的百姓。

【原文】

明主之所贵，惟爵其实而荣显之。不荣则民不急；列位不显则民不事爵；爵易得也，则民不贵上爵；列爵禄赏不道其门，则民不以死争位矣。人生而有好恶，故民可治也。人君不可以不审好恶。好恶者赏罚之本也。夫人情好爵禄而恶刑罚，人君设二者以御[①]民之志，而立所欲焉。夫民力尽而爵随之，功立而赏随之，人君能使其民信于此如明日月，则兵无敌矣。

【注释】

①御：驾驭，控制。

【译文】

英明国君重视的，是按照实际功劳授予官爵，并使他们感到荣耀显贵。如果不荣耀，百姓就不会急于得到爵位；不显贵百姓就不会追求爵位；爵位容易得到，百姓就不看重国君赐给的爵位。授爵奖赏不遵循正常的途径，百姓就不会拼命争夺爵位。人天生就有喜欢和厌恶，因此百姓才可以被治理好。国君不能不清楚百姓的好恶。百姓的好恶是赏罚的根本。人之常情是喜欢爵禄而厌恶刑罚，国君设置这两样制度来驾驭百姓的意志，达到君主自己的目的。百姓尽力，爵位随之而得，建立功绩，奖赏也随之而来。国君能让百姓相信这一点就像相信日月一样，兵力就天下无敌了。

【原文】

人君有爵行而兵弱者，有禄行而国贫者，有法立而治乱者。此三者，国之患也。故人君者先便辟①请谒而后功力，则爵行而兵弱矣。民不死犯难而利禄可致也，则禄行而国贫矣。法无度数②，而事日烦，则法立而治乱矣。是以明君之使其民也，使必尽力以规③其功，功立而富贵随之，无私德也，故教化成。如此，则臣忠君明，治著而兵强矣。故凡明君之治也，任其力不任其德，是以不忧不劳而功可立也。

【注释】

①便辟：逢迎谄媚。

②度数：尺度。

③规：谋求

【译文】

国君有爵位赏赐兵力反而弱，有俸禄发放，国家依然贫穷，确立了法度，社会还是混乱，这三种情况是国家的祸患。如果国君首先看重宠臣的请托，把有功的人放在后面，那么爵禄颁发了，兵力就削弱了。百姓不拼命作战就能得到利禄爵位，那么俸禄发放国家也会贫穷。法令没有尺度，国家的事务日益增多，那么法令确立，但社会混乱。因此英明的国君役使百姓一定让他们尽力来谋求立功，功绩建立，富贵便随之而来，没有私下的奖赏，所以教化能够成功。这样国君英明，臣子忠诚，政绩卓越，兵力强大。所以英明的国君治国，根据百姓为国出力情况加以任用，而不根据私人恩德。所以不必担忧劳累便能建立功业。

【原文】

度数已立，而法可修。故人君者不可不慎己也。夫离朱①见秋豪②百步之外，而不能以明目易人；乌获③举千钧之重，而不能以多力易人。夫圣人之存体性，不可以易人，然而功可得者，法之谓也。

【注释】

①离朱：传说为黄帝时人，目力极好。

②豪：通“毫”。

③乌获：战国时秦国大力士。

【译文】

法度的标准确立，法令才可以执行。因此国君不能不慎重自身行为。离朱可以看见百步之外鸟兽身上细小的毛，却不能将他的好眼力换给别人；乌获能举起上万斤的重物，却不能将大力气换给别人。圣人具有的特殊禀性，也不能换给别人，却可以建功立业，就是因为有法度。

战法第十

【解题】

战法，即作战方法，本篇论述了作战制胜的基本原则，特别是提出了军事必须以政治为根本的主张。

【原文】

凡战法必本于政。政胜①，则其民不争。不争则无以私意，以上为意。故王者之政，使民怯于邑斗②，而勇于寇战③。民习以力攻，难，难故轻死。

【注释】

①胜：占优势。

②邑斗：与本邑人私斗。

③寇战：与外敌作战。

【译文】

凡是作战的策略必须以政治为根本。政治上胜利，百姓就不会与国家对抗。百姓不与国家对抗就不逞个人的意志，以国君的意志为意志。因此成就王业的国君的政治，使百姓在乡里械斗就胆怯，和外敌作战就勇敢。百姓习惯于用实力进攻这是难以做到的，做到了难以做到的，就不怕死。

【原文】

见敌如溃，溃而不止，则免。故兵法：“大战胜，逐北无过十里。小战胜，逐北[1]无过五里。”

【注释】

①北：失败。

【译文】

看见敌兵像决堤一样地崩溃，奔跑不停，不要追赶。兵法曾说：“大胜，追赶败兵不要超过十里。小胜，追赶败兵不要超过五里。”

【原文】

兵起而程[1]敌。政不若者，勿与战；食不若者，勿与久；敌众勿为客[2]；敌尽不如，击之勿疑。故曰：兵大律[3]在谨，论敌察众，则胜负可先知也。

【注释】

①程：衡量。

②客：进攻。

③大律：重要法则。

【译文】

军队出动，先要衡量敌国的实力。如果政治不如敌国，就不要和它作战；粮食不如敌国，就不要和它久战；敌军人数多就不要主动进攻；敌国一切都不如我们，就进攻而不必犹豫。所以说：用兵的重大法则在于谨慎，研究敌情，考察双方兵力多寡，胜负就可以预先知道。

【原文】

王者之兵，胜而不骄，败而不怨。胜而不骄者，术明也；败而不怨者，知所失也。

【译文】

称王天下的军队，战胜却不骄傲，战败也不抱怨。战胜不骄傲，因为战术高明，战败不抱怨，因为知道战败的原因。

【原文】

若敌强兵弱，将贤则胜，将不如则败。若其政出庙算[①]者，将贤亦胜，将不如亦胜。持胜术者，必强至王。若民服而听上，则国富而兵胜，行是久必王。

【注释】

①庙算：朝廷谋划的作战策略。

【译文】

如果敌强我弱，将领高明就能获胜，将领不如敌国就会战败。如果战前的决策朝廷精心谋划，将领高明会取胜，将领不如敌国也能取胜。在政治上长期掌握获胜的战术，国家就一定能强大直至称王天下。如果百姓服从并听信国君的治理，国家就会富强，军队就能打胜仗，长期做到这一点，就一定能称王天下。

【原文】

其过失，无敌[①]深入，偕[②]险绝塞，民倦且饥渴，而复遇疾，此败道也。故将使民若乘良马者，不可不齐[③]也。

【注释】

①无敌：轻敌。

②偝：通“背”。

③齐：同“剂”，调剂。

【译文】

用兵的错误，是轻敌冒进深入，使军队背靠险地，越过关塞，士兵疲倦而饥渴交加，又遇到病疫，这是失败的用兵方法。所以将领率领士兵，像骑好马一样，不能不注意调剂它的力量。

立本第十一

【解题】

立本即确立根本，此处指强大军队的根本。本篇论述了强兵胜敌的三种方法：用兵前推行法治、用法治形成百姓积极农战的风气、在此风气下调动全民力量作战。

【原文】

凡用兵，胜有三等：若兵未起则错法，错法而俗成，俗成而用具。此三者必行于境内，而后兵可出也。行三者，有二势：一曰辅法而法行，二曰举必得而法立。故恃其众者，谓之葺①；恃其备饰者，谓之巧；恃誉目②者，谓之诈。此三者恃一，因其兵可禽③也。故曰：强者必刚其斗意，斗则力尽，力尽则备，是故无敌于海内。治行则货积，货积则赏能重矣。赏壹则爵尊，爵尊则赏能利矣。故曰：兵生于治而异，俗生于法而万转，过势本于心而饰于备势。三者有论。故强可立也。是以强者必治，治者必强；富者必治，治者必富；强者必富，富者必强。故曰：治强之道三，论其本也。

【注释】

①葺：修葺。

②誉目：好名声。

③禽：通“擒”。

【译文】

凡是用兵作战，获胜有三个步骤：军队还没有出征就建立法度，建立法度才能养成风气，风气形成，所需要的战备便有了。这三件事必须在国内推行，军队才能出征。推行这三点需要两个条件：一是国君辅助推行法度，法度才能执行，二是国君举措得当，法度才能确立。如果依仗人多势众，那就叫徒有其众。如果依仗武器装备美观，那叫浮华取巧。如果依仗着虚名，那叫徒有其名。这三个方面，国君依赖其中一条，那他的士兵就一定会被对方俘获。所以强国的士兵一定要坚定斗志，有了斗志就能尽力打仗，尽力作战就会无往不利，这样的军队才能无敌于天下。国家的政策法令实行了，财富就会累积，财富累积，奖赏就能丰厚。奖赏只发给有战功的人，爵位就尊贵，爵位尊贵，奖赏就会有效。所以说，军队生于政治，而又因政策的不同而有差异，风气生于法度，又随法度变化而变化，运用权势精心考虑，就能显示无往不胜的形势。这三个方面理顺，国家的强大就有了保证。所以，强大的国家一定社会安定，社会安定的国家一定强大；富足国家一定社会安定，社会安定的国家一定富足；强大的国家一定富足，富足的国家一定强大。所以说社会安定强大的原因有三个方面，一定要考察它的根本。

兵守第十二

【解题】

兵守即军队防守，本篇论述了军队防御的方法，提出应以防御作为主要战术。

【原文】

四战之国贵守战，负海之国贵攻战。四战之国，好兴兵以距[1]四邻者，国危。四邻之国一兴事[2]，而己四兴军，故曰国危。四战之国，不能以万室之邑舍[3]钜万之军者，其国危。故曰：四战之国务在守战。

【注释】

①距：通“拒”，抗拒。

②事：战争。

③舍：宿。

【译文】

四面与他国接壤的国家要重视防御，背靠大海的国家要重视进攻。四面与他国接壤的国家喜欢发兵攻打邻国，国家就危险了。四面的邻国每次发起战争，自己就要四处派兵迎战，所以说国家就危险。四面与他国接壤的国家，如果不能有上万户规模的城邑驻守数以万计的军队，那么国家就危险了。所以说四面与他国接壤的国家主要任务在防御。

【原文】

守有城之邑，不知以死人之力与客生力战，其城拔[①]。若死人之力也，客不尽夷[②]城，客无从入，此谓以死人之力与客生力战。城尽夷，客若有从入，则客必罢[③]，中人必佚矣。以佚力与罢力战，此谓以生人力与客死力战。皆曰："围城之患，患无不尽死。"而亡此二者，非患不足，将之过也。

【注释】

①拔：攻克。

②夷：平。

③罢：通"疲"。疲惫。

【译文】

守卫有城墙的城镇，不知用百姓决死一战的力量与敌人的有生力量作战，城池一定会被攻下。如果守军拼死抵抗，入侵者就不能将城池全部攻占，就无法进入城内，这就叫用拼死抵抗的力量与敌人作战。城墙如果被攻破，入侵者如果进城，也一定疲惫不堪，而城内的军队就可以以逸待劳。用精力充沛的兵力同疲惫的敌军作战，这就叫以有生之力同疲惫的敌人作战。因此都说："围攻城池担心的是，守军不拼死作战。"不是这两种情况，就不用担心实力不足，是将领的过失。

【原文】

守城之道，盛力也。故有客[①]治簿檄[②]，三军之多，分以客之候车之数。三军：壮男为一军，壮女为一军，男女之老弱者为一军，此之谓三军也。壮男之军，使盛食、厉③兵，陈而待敌。壮女之军，使盛食、负垒④，陈而待令；客至而作土以为险阻及阱格。发梁彻屋，给徙徙之，不洽而，熯之，使客无得以助攻备。老弱之军，使牧牛马羊彘，草木之可食者收而食之，以获其壮男女之食。而慎使三军无相过⑤。壮男过壮女之军，则男贵女，而奸民有纵谋，而国亡；喜与其恐有蚤闻，勇民不战。壮男壮女过老弱之军，则老使壮悲，弱使强怜；悲怜在心则使勇民更虑，而怯民不战。故曰：慎使三军无相过。此盛力之道。

【注释】

①客：入侵外敌。

②簿檄：簿册檄文。

③厉：通“砺”，磨。

④垒：通“蘽”，古代盛土器具。

⑤过：拜访。

【译文】

守卫城镇的基本原则在于增强自己的力量。因此，一旦外敌来犯，就要谨慎整理簿册，招足三军的士兵，根据入侵者侦察战车的数量编排。三军是：壮年男子组成一军，壮年女子组成一军，年老体弱的组一军。壮年男子组成的军队，让他们吃饱饭，磨好武器，排开阵势等待敌人；壮年女子组成的军队，让她们吃饱饭，背上装土的筐子，排列阵势等待命令。敌军到了，就让她们堆积土堆设置障碍，挖好陷阱。破坏桥梁，拆除房屋，来得及运走，就运走，来不及就烧掉，使敌人无法用这些东西来攻城。年老体弱组成的军队，让他们去放牧牛、马、羊、猪，收割草木喂养它们，以便提供壮年男女军队的食物。要谨慎地让三支军队不要互相往来。壮年男子到壮年女子的军队中，那男子就会爱慕女子，奸邪之人就会生出放纵的想法，国家就会灭亡；壮年男女喜欢在一起，害怕早晚听到战争的消息，勇敢的人也不愿意打仗。壮年男子到年老体弱的军中去，老人会让他们感到悲伤，体弱的人会让强壮的人怜悯；心中有悲伤、怜悯之情，就会让勇敢的人改变心意，而胆小的人不敢作战。所以说，谨慎地让三支军队不要互相往来，这是增强自己力量的方法。

靳令第十三

【解题】

靳令即严格执行法令。本章强调令出一途，令出必行的重要性。主张用重罚轻赏向百姓强调法令的重要性，从而驾驭百姓。

【原文】

靳令，则治不留；法平，则吏无奸。法已定矣，不以善言害法。任功则民少言；任善则民多言。行治曲①断，以五里断者王；以十里断者强；宿治者削。以刑治，以赏战，求过不求善。故法立而不靳，则显民变②诛计。变诛之质齐，殊便百都之尊爵厚禄以自伐。国无奸民，则都无奸市。物多末众，农弛③奸胜，则国必削。民有余粮，使民以粟出官爵，官爵必以其力，则农不怠。四寸之管无当④，必不满也。授官、予爵、出禄不以功，是无当也。

【注释】

①曲：乡曲，乡里。

②变：欺诈。

③弛：松懈。

④当：底。

【译文】

严格执行国君的法令，当天的政务便不会拖延；法度公正，官吏就没有奸邪行为。法度已经确定，就不能用所谓的道德言论来破坏法度。任用有功劳的人，百姓就少空谈；任用所谓讲道德的人，百姓就多空谈。推行法治，在下层决断政事，在五里之内做出决断，国家就能称王天下，在十里之内做出决断，国家就能强大，隔夜才将政务处理好的，国家会被削弱。用刑罚治理国家，用奖赏激励作战，追究百姓的过失，不追求百姓的善行。法度确立却不能固定，就是向百姓表明欺诈的方法。欺诈获得买卖的契约，极富有百都尊爵厚实录的人便自我夸耀。国家没有奸邪的人，都市中没有违法的交易。华丽的生活用品多，从事商业的人多，农耕就会懈惰，奸邪就会发生，国家就会被削弱。百姓有了多余的粮食，让百姓用粮食换取官爵，得到官爵一定要靠劳力，百姓就不懒惰。四寸长的竹管没有底，就一定装不满。授予官职，给予爵位不按照功劳，就像没有底的竹管一样。

【原文】

国贫而务战，毒生于敌，无六虱，必强；国富而不战，偷生于内，有六虱，必弱。国以功授官予爵，此谓以盛[1]知谋，以盛勇战。以盛知谋，以盛勇战，其国必无敌。国以功授官予爵，则治省言寡，此谓以治去治、以言去言。国以六虱授官予爵，则治烦言生，此谓以治致治、以言致言。则君务于说言，官乱于治邪，邪臣有得志，有功者日退，此谓失。守十者乱，守壹者治。法已定矣，而好用六虱者亡。民毕农，则国富。六虱不用，则兵民毕竞劝②而乐为主用，其竟内之民争以为荣，莫以为辱。其次，为赏劝罚沮③。其下，民恶之，忧之，羞之；修容而以言，耻食以上交，以避农战；外交以备，国之危也。有饥寒死亡，不为利禄之故战，此亡国之俗也。

【注释】

①盛：多。

②劝：鼓励。

③沮：阻止。

【译文】

国家穷却发动战争，对国家有危害的事就会灌输给敌国，这样做就没有六种虱害，国家一定强大；国家富足而不战争，懒惰的人就会产生在国内，有了六种虱害，国家就一定会被削弱。国家根据战功授予官爵，这就叫用官爵来增加智谋，用官爵鼓励英勇作战。用官爵增加智谋，用官爵鼓励英勇作战，国家一定无敌。国家根据战功授给官爵，政务就会简明，空谈也会减少，这就叫用政务除去政务，用空谈排除空谈。国家按照六种虱害授予官爵，政务就会烦乱，空谈纷出，这就叫用政务招致政务，用空谈招致空谈。国君就会被空谈迷惑，官员被政治上的邪说迷乱，奸臣得志，有功的人日益被排挤，这就是过失。国君保守各种思想就会混乱，坚守农战政策天下就会太平。法度已经确定，而喜欢任用六种虱害的国家就会灭亡。百姓都选择务农，国家就会富裕。不任用六种虱害，士兵、百姓都会争相为国君服务，国内百姓以农战为荣，不认为这样做是耻辱。其次，百姓被奖赏所鼓励，被刑罚所阻止。最下，百姓厌恶这样做，为此担心，以此为耻辱，他们修饰外表而凭言谈四处游说，以拿俸禄被国君任用为耻辱，躲避农战；同外国勾结为自己打算，这样，国家就危险了。有人宁肯挨饿受冻死亡，也不愿意为利禄去作战，这是亡国的风气。

【原文】

六虱：曰礼乐，曰《诗》《书》，曰修善，曰孝弟，曰诚信，曰贞廉，曰仁义，曰非兵①，曰羞战。国有十二者，上无使农战，必贫至削。十二者成群，此谓君之治不胜其臣，官之治不胜其民，此谓六虱胜其政也。十二者成朴，必削。是故，兴国不用十二者，故其国多力，而天下莫能犯也。兵出，必取；取，必能有之。按兵而不攻，必富。朝廷之吏，少者不毁②也，多者不损也，效功而取官爵，虽有辩言，不能以相先也，此谓以数治。以力攻者，出一取十；以言攻者，出十亡百。国好力，此谓以难攻；国好言，此谓以易攻。

【注释】

①非兵：反对武力。

②毁（bǐ）：借为“埤（pí）”增加。

【译文】

六种虱害：是礼乐，是《诗经》《尚书》，是修养和良善，是孝顺长辈和尊重兄长，是诚信，是正直廉洁，是仁爱道义，是反对战争，是以战争为耻。国家有这十二种危害，国君就无法让百姓从事农战，国家一定会贫穷直至被削弱。这十二种危害成群结队，这就叫国君的统治不能制服臣下，官吏的治理不能制服百姓，这就叫作六种虱害超过了国家的法令。这十二种思想扎根，国家一定会被削弱。因此，兴盛的国家不用这十二种危害，所以国家强大，天下各国不敢侵犯它。军队出征，就一定能夺取土地；夺取了土地，就一定能占有它。如果按兵不动，国家一定能富足。朝廷的官吏，应该少的不会增加，应该多的也不会减少，建立功绩就能获得官爵，虽然有巧辩的口才，也不能排在前面，这就叫用法度治国。凭实力去攻打别国，出一分力会获得十倍的效果；凭空谈去攻击别国，出十分力会丧失百倍的利益。国家喜好实力，这就叫用难以做到的事情进攻别国；国家喜好空谈，这就叫用容易做到的事情去攻打别国。

【原文】

重刑少赏，上爱民，民死赏。重赏轻刑，上不爱民，民不死赏。利出一空者其国无敌，利出二空[1]者其国半利，利出十空者其国不守。重刑，明大制；不明者，六虱也。六虱成群，则民不用。是故，兴国罚行则民亲，赏行则民利。行罚，重其轻者，轻者不至，重者不来。此谓以刑去刑，刑去事成；罪重刑轻，刑至事生，此谓以刑致刑，其国必削。

【注释】

①空：通“孔”，途径。

【译文】

刑罚重，奖赏少，这是国君爱护百姓，百姓就会因为奖赏拼命。奖赏重，刑罚轻，这是国君不爱护百姓，百姓就不会为奖赏而拼命。利禄出自一个途径，国家就会无敌；利禄出自两个途径，国家只能得到一半的利益；利禄出自多个途径，国家就难保全。加重刑罚，可以严明重要的法度；法度不严明，是因为有六种虱害。六种虱害的危害成群，百姓就不愿意被役使。因此，兴盛的国家实行刑罚，百姓就会与国君亲近，实行奖赏，百姓就能被国君役使。实行刑罚，对轻罪使用重刑，轻罪就不会再发生，重罪就不会出现，这就叫用刑罚遏制犯罪，刑罚不须使用，事情也能办成；重罪使用轻刑，虽然用刑，乱事依然会产生，这就叫用刑罚招致犯罪，国家一定会被削弱。

【原文】

圣君知物之要，故其治民有至要。故执赏罚以辅壹教。仁者，心之续[①]也，圣君之治人也，必得其心，故能用其力。力生强，强生威，威生德，德生于力。圣君独有之，故能述[②]仁义于天下。

【注释】

①续：连续。

②述：推行。

【译文】

圣明的国君懂得掌握事物的关键，所以他治理百姓能抓住要领。掌握奖赏和刑罚用农战的方针来辅助教化。仁德是他政治思想的继续，圣明的国君在统治时，一定能得到他们的真心，所以能使用他们的力量。力量能产生强大，强大能产生威势，威势能产生恩德，恩德产生于力量。只有圣明的国君能拥有力量，所以他在天下能推行仁义。

修权第十四

【解题】

修权即修整权力，如何使用权力。本篇论述治理好国家的三个因素：法度、信用、权力。其中最重要的是要法度严明，反对以权谋私。

【原文】

国之所以治者三：一曰法，二曰信，三曰权。法者，君臣之所共操也；信者，君臣之所共立也；权者，君之所独制也。人主失守则危。君臣释法任私，必乱。故立法明分[①]，而不以私害法，则治。权制独断于君则威。民信其赏，则事功成；信其刑，则奸无端。惟明主爱权重信，而不以私害法。故上多惠言而不克[②]其赏，则下不用；数加严令而不致其刑，则民傲死[③]。凡赏者，文也；刑者，武也。文武者，法之约也。故明主任法。明主不蔽之谓明，不欺之谓察。故赏厚而信，刑重而威必；不失疏远，不违[④]亲近，故臣不蔽主，而下不欺上。

【注释】

①分：职分。

②克：能。

③傲死：倨傲轻死。

④违：避。

【译文】

国家太平有三个因素：一是法度，二是信用，三是权柄。法度是君臣共同掌握的，信用是君臣共同树立的，权柄是国君独自控制的。国君失去权柄会很危险。君臣抛弃法度只顾私利，国家必定混乱。确立法度明确界线，并且不因私利损害法度，则国家就会太平。国君独掌权柄就树立威严。百姓相信国君的赏赐，功业就会建立，相信君主的惩罚，奸邪就不会发生。只有贤明的国君才珍惜权柄，重视信用，不会以私利损害法度。所以国君许下很多空头恩惠而不能兑现，臣下就不肯效力；屡次颁布严厉的法令却不能执行，百姓就轻视死刑。凡是奖赏都是文治，而惩罚是武治，赏罚是法度的纲领，所以贤明的国君重视法度。贤明的国君不被蒙蔽叫贤明，不被欺骗叫明察。所以重赏树立信用，重罚成就威严。赏赐不遗漏疏远的人，刑罚不回避亲近的人。所以臣子不会蒙蔽国君，下级不会欺骗上级。

【原文】

世之为治者，多释法而任私议，此国之所以乱也。先王县[①]权衡，立尺寸，而至今法之，其分明也。夫释权衡而断轻重，废尺寸而意长短，虽察，商贾不用，为其不必也。故法者，国之权衡也。夫倍[②]法度而任私议，皆不知类者也。不以法论知、能、贤、不肖者，惟尧；而世不尽为尧。是故先王知自议誉私之不可任也，故立法明分，中程[③]者赏之，毁公者诛之。赏诛之法，不失其议④，故民不争。授官予爵不以其劳，则忠臣不进；行赏赋禄不称其功，则战士不用。

【注释】

①县：古“悬”字，权衡。

②倍：通“背”。

③程：法式。

④议：借为“仪”，准则。

【译文】

世上的统治者，大多抛弃法度而听由私人的意见，这是国家混乱的原因。先王制造权衡，确立尺寸，至今还在效法，因为标准明确。如果抛弃权衡判断轻重，废除尺寸而推测长短，即使很准，商人也不会用，因为那是不确定的。所以法度是国家的权衡。违背法度而听任个人意见，都是不懂事理。不用法度，可断定人的智慧、愚笨、贤明、无能，只有尧，但世人并非全是尧。所以先王知道不能靠私议和私人称誉治理国家，必须确立法度，明确职分，符合规章的就奖励，危害公家利益的就惩罚。赏罚的法度不失标准，百姓就不会有争议。如果授予官爵不按功劳，忠臣就不会效全力；行赏赋禄不按军功，战士就不会出力。

【原文】

凡人臣之事君也，多以主所好事君。君好法，则臣以法事君；君好言，则臣以言事君。君好法，则端直之士在前；君好言，则毁誉之臣在侧。公私之分明，则小人不疾贤，而不肖者不妒功。故尧、舜之位天下也，非私天下之利也，为天下位天下也；论贤举能而传焉，非疏父子亲越人也，明于治乱之道也。故三王以义亲天下，五霸以法正诸侯，皆非私天下之利也，为天下治天下。是故擅[1]其名而有其功，天下乐其政，而莫之能伤也。今乱世之君臣，区区然[2]皆擅一国之利而管一官之重，以便其私，此国之所以危也。故公私之交，存亡之本也。

【注释】

①擅：独占。

②区区然：自得的样子。

【译文】

大臣侍奉国君，多数是投国君所好。国君喜好法度，大臣就以法度侍奉国君，国君爱好言谈，大臣就以言谈侍奉国君。君主喜好法度，正直的人就会出现在面前，国君喜好言谈，奸臣就会出现在左右。公私界限分明，小人就不会忌妒贤人，无能的不会忌妒有功的人。尧舜治理天下，不是独占天下利益，而是为天下治理天下；选拔贤能传位给他，不是疏远亲生儿子而亲近外人，而是明白治国的道理。三王靠仁义取得天下，五霸靠法度匡正诸侯，都不是独占天下利益，而是为天下治理天下。所以有功名的国君，天下的人都喜欢他的统治，没有谁能动摇。现在乱世的君臣都渺小地独占一国的利益、掌管一官的权力，以此追逐私利。所以公私是否分明是国家存亡的根本。

【原文】

夫废法度而好私议，则奸臣鬻权以约禄，秩官[1]之吏隐下而渔民。谚曰：“蠹众而木折，隙大而墙坏。”故大臣争于私而不顾其民，则下离上。下离上者国之隙也。秩官之吏隐下以渔百姓，此民之蠹也。故有隙、蠹而不亡者，天下鲜矣。是故明王任法去私，而国无隙、蠹矣。

【注释】

①秩官：常设的官。

【译文】

废除法度喜好私议，奸臣就会出卖权柄追求私利，一般官吏就会隐瞒民情，侵害百姓。谚语说：“蠹虫多，树木折，缝隙大，墙毁坏。”大臣争夺私利而不顾及百姓，百姓就会远离国君，这是国家的裂痕。国家的一般官吏隐瞒民情，侵犯百姓，这就是百姓的“蠹虫”。而国家有蠹虫、裂痕而不灭亡的，天下少有。所以贤明的国君确定法律摒除私利，国家就不会有蛀虫、裂痕。

徕民第十五

【解题】

徕民就是招徕百姓。本篇论述对外来移民采取优惠政策，招徕移民开垦荒地，让本国百姓充分投入作战中去，达到富国强兵的目的。

【原文】

地方百里者，山陵处什一，薮泽处什一，溪谷流水处什一，都邑蹊道处什一，恶田处什二，良田处什四，以此食作夫①五万，其山陵、薮泽、溪谷可以给其材，都邑蹊道足以处其民，先王制土分民之律也。

【注释】

①作夫：农民。

【译文】

土地方圆百里，山陵占十分之一，湖泊沼泽占十分之一，山谷河流占十分之一，城镇道路占十分之一，薄田占十分之二，良田占十分之四，用这些可以养活五万农民，其中的山陵、湖泊、沼泽、山谷河流供给原料，城镇道路足够居住，这就是先王制定的规划土地分配百姓的规则。

【原文】

今秦之地方千里者五，而谷土不能处什二，田数不满百万，其薮泽、溪谷、名山、大川之材物货宝，又不尽为用，此人不称土也。秦之所与邻者三晋[①]也；所欲用兵者，韩、魏也。彼土狭而民众，其宅参居而并处。其寡萌[②]贾息[③]民，上无通名，下无田宅，而恃奸务末作以处。人之复阴阳泽水者过半。此其土之不足以生其民也，似有过秦民之不足以实其土也，意民之情，其所欲者田宅也，而晋之无有也信，秦之有余也必。如此而民不西者，秦士戚[④]而民苦也。臣窃以王吏之明为过见。此其所以不夺三晋民者，爱爵而重复也，其说曰："三晋之所以弱者，其民务乐而复爵轻也。秦之所以强者，其民务苦而复爵重也。今多爵而久复，是释秦之所以强，而为三晋之所以弱也。"此王吏重爵、爱复之说也，而臣窃以为不然。夫所以为苦民而强兵者，将以攻敌而成所欲也。兵法曰："敌弱而兵强。"此言不失吾所以攻，而敌失其所守也。今三晋不胜秦，四世矣。自魏襄以来，野战不胜，守城必拔，小大之战，三晋之所亡于秦者，不可胜数也。若此而不服，秦能取其地，而不能夺其民也。

【注释】

①三晋：韩赵魏三国。

②萌：通"氓"，黎民，百姓。

③贾息：经商获利。

④戚：忧愁，悲伤。

【译文】

现在秦国土地方圆千里的地方有五处，可是能种庄稼的田地不到十分之二，田数不满百万，湖泊、沼泽、山谷、溪流、名山、大河中的物资、财宝没有被充分利用，这就是人口与土地不相称。秦的邻国是三晋；秦国想要攻打的是韩、魏两国。他们土地狭小，人口众多，房屋杂乱交错。百姓多以经商谋生，商人在上没有爵位，在下又没有土地和住宅，却靠着奸邪勾当、经商来生活。人们在山前山后和湖泽河流旁边居住的超过半数。他们的土地不够供养百姓，似乎超过了秦国百姓不足以住满秦国土地的程度。猜想百姓的心理，他们想要的是田地和房屋，可是三晋确实没有，秦的田地有富余是肯定的。像这种情况三晋的百姓不愿进入秦国，是因为秦国士人忧愁而百姓辛苦。我认为所谓大王的官吏聪明是错误的见解。他们不去争取三晋的百姓，是吝惜爵位和重视免租免役。他们说："三晋所以弱，是由于三晋百姓追求快乐，朝廷又轻易免租免役、给人爵位。秦国所以强，是因为秦国百姓甘愿劳苦，朝廷又不轻易免租免役、多给爵位。如果我们也多给百姓爵位，延长免租免役的期限，就是舍弃秦国之所以强的方法，而使用造成三晋之所以弱的方法。"这就是大王的官吏重视爵位、吝惜免租免役的说法。我个人认为不对。我们所以叫百姓吃苦加强兵力，是为了攻打敌国，实现我们的愿望。兵法说："敌国兵力弱，我们的兵力就强。"这是说我们没有失去进攻的条件，敌人却失去了防守的条件。现在三晋不能战胜秦国，已经四代了。自魏襄王以来，他们进攻打不过秦国，守城必定被攻克，大小战争，三晋割给秦国的土地，数不过来。像这样，他们还不屈服，因为秦国仅能取得他们的土地，而不能夺取他们的百姓。

【原文】

今王发明惠①，诸侯之士来归义者，今使复之三世，无知军事；秦四境之内陵阪丘隰②，不起十年征，者③于律也，足以造作夫百万。曩④者臣言曰："意民之情，其所欲者田宅也，晋之无有也信，秦之有余也必。若此而民不西者，秦士戚而民苦也。"今利其田宅，而复之三世，此必与其所欲而不使行其所恶也。然则山东之民无不西者矣，且悳⑤之谓也。不然，夫实圹⑥虚，出天宝，而百万事本，其所益多也，岂徒不失其所以攻乎？

【注释】

①明惠：恩惠。

②隰（xí）：洼地。

③者：通"著"。

④曩：从前。

⑤悳：通"德"。

⑥圹：旷野。

【译文】

现在大王发布明确的恩惠，凡是各国来归附的人，立刻免除三代的徭役赋税，不用参战。秦国四境之内，岭坡、丘陵、洼湿的土地，十年不收赋税，并将这些都写在法律里，这样做足够招来上百万农民。之前我说过："猜想百姓的心理，他们想要的是田地和房屋，可是三晋确实没有，秦国田地有富余是肯定的。像这种情况三晋的百姓也不西迁入秦国，原因是秦国士人忧愁而百姓辛苦。"现在赐给他们好的田地、住宅，又免除他们三代的徭役赋税，这就是给他们想要的，不让他们做他们所厌恶的事。这样，六国的百姓没有不来秦国的，这就是德啊。不仅这样，六国的百姓充实了荒芜的土地，开发土地使其有所产出，百万人务农，所创造的好处很多，难道仅仅是不丧失进攻的能力吗？

【原文】

夫秦之所患者，兴兵而伐，则国家贫；安居而农，则敌得休息。此王所不能两成也。故三世战胜，而天下不服。今以故秦事敌，而使新民作本，兵虽百宿于外，竟内不失须臾之时，此富强两成之效也。臣之所谓兵者，非谓悉兴尽起也，论竟内所能给军卒车骑，令故秦民事兵，新民给刍食①。天下有不服之国，则王以此春违其农，夏食其食，秋取其刈②，冬陈其葆③，以《大武》摇其本，以《广文》安其嗣。王行此，十年之内，诸侯将无异民，而王何为爱④爵而重复乎？

【注释】

①刍食：粮草。

②刈：收割。

③葆：聚藏。

④爱：吝惜。

【译文】

秦国所担心的是，发兵去讨伐敌国，自己国家就会贫穷，安居务农，敌人就得到休息。这就是大王所不能两全的事。过去三代国君都打了胜仗，可天下却不屈服。现在用秦原有的百姓对付敌国，而让新招徕的百姓务农，军队即使在外驻扎上百天，国内也不会耽误片刻农时，这是富国强兵两全其美的效果。我所说的用兵，不是要全部发动一切人力，而是调查清楚国内所能供给的兵卒车马。让原有的百姓当兵，新招徕的供给粮草。天下诸侯有不服从的，大王在春天包围他们的农田，夏天去抢夺他们的粮食，秋天夺取他们收割的粮食，冬天掠夺他们储存的粮食，用《大武》所言动摇他们的根本，用《广文》所言安抚他们的后代。大王如这么做，十年以内诸侯中就会没有不是秦国的百姓了。大王为什么吝惜爵位，舍不得免除役赋呢？

【原文】

周军之胜[①]、华军之胜[②]、秦斩首而东之。东之无益亦明矣。而吏犹以为大功，为其损敌也。今以草茅之地，徕三晋之民而使之事本，此其损敌也，与战胜同实。而秦得之以为粟，此反行两登之计也。且周军之胜、华军之胜、长平之胜[③]，秦所亡民者几何？民客之兵不得事本者几何？臣窃以为不可数矣。假使王之群臣，有能用之，费此之半，弱晋强秦，若三战之胜者，王必加大赏焉。今臣之所言，民无一日之繇[④]，官无数钱之费，其弱晋强秦，有过三战之胜，而王犹以为不可，则臣愚不能知已。

【注释】

①周军之胜：公元前293年秦与韩魏之间的伊阙之战。

②华军之胜：公元前273年秦与魏赵之间的华阳之战。

③长平之胜：公元前260年秦与赵国之间的长平之战。

④繇：通“徭”，徭役。

【译文】

伊阙和华阳之战的胜利，秦国斩获极多，又向东进攻。向东边进攻没有什么好处是很明显的，而官吏认为能建立大功，因为这么做能损害敌国。现在我们用荒地招徕三晋的百姓，让他们务农，这样对敌国的破坏与战胜敌国带来的破坏，效果一样。秦国既获得三晋的百姓又让他们生产粮食，这是战争和生产两利的计策。况且伊阙之战、华阳之战、长平之战，秦国损失了多少人？百姓因战争不能务农的又有多少？我个人认为无法统计。假如大王的群臣中，有人用这些兵力，只使用其中的一半，就能削弱三晋，强大秦国，取得像三次战役一样的胜利，大王一定会增加赏赐。现在我所说的方法，百姓不服一天的徭役，官府不浪费多少钱，却能削弱三晋强大秦国，远胜过那三次战役的胜利，大王却认为不可，我就真的愚昧，对此不能明白了。

【原文】

齐人有东郭敞者，犹多愿，愿有万金。其徒请赒[①]焉，不与，曰：“吾将以求封也。”其徒怒而去[②]之宋。曰：“此爱于无也，故不如以先与之有也。”今晋有民，而秦爱其复，此爱非其有以失其有也，岂异东郭敞之爱非其有以亡其徒乎？且古有尧、舜，当时而见称；中世有汤、武，在位而民服。此四王者万世之所称也，以为圣王也，然其道犹不能取用于后。今复之三世，而三晋之民可尽也。是非王贤立今时，而使后世为王用乎？然则非圣别说，而听圣人难也。

【注释】

①赒（zhōu）：救济，接济。

②去：离开。

【译文】

齐国有个东郭敞，贪欲很大，希望拥有极多的财富。他的徒弟请求他救济，他不给，说："我打算用钱去获得爵位。"徒弟生气地离开他到了宋国。有人说："吝惜没有获得的东西，还不如将钱先送给徒弟。"现在三晋有百姓而秦国却吝惜免除徭役和赋税，这是吝惜没有的东西以致失去可以占有的，这与东郭敞吝惜没有得到的爵位反而失去已拥有的徒弟，有什么区别吗？上古时代有尧、舜，当时被人称颂；中古时代有商汤、周武王，统治时百姓都信服。这四位帝王，世代受到称赞，被认为是圣王，但他们治国的方法却不被后人采用。现在免除三代的徭役赋税，三晋的百姓就能全被招徕。这不是靠大王今天的贤明来确立，而让三晋百姓的后代为您效力吗？那么不是圣人的说法特别，而是听从圣人的教导很难啊！

刑约第十六

本篇亡佚。

赏刑第十七

【解题】

赏刑，即奖赏与刑罚。本篇论述了要治理好国家就要统一奖赏、统一刑罚、统一教化。

【原文】

圣人之为国也，壹赏，壹刑，壹教。壹赏，则兵无敌；壹刑，则令行；壹教，则下听上。夫明赏不费，明刑不戮，明教不变，而民知于民务，国无异俗。明赏之犹[1]至于无赏也，明刑之犹至于无刑也，明教之犹至于无教也。

【注释】

①犹：极致。

【译文】

圣人治理国家，要统一奖赏，统一刑罚，统一教化。统一奖赏，军队就会天下无敌；统一刑罚，命令就能执行；统一教化，百姓就会听从君主的役使。公正的奖赏并不会浪费财物，严明的刑罚不会造成杀戮，修明教育不会改变风俗，百姓却知道自己的职责，国家没有异端风俗。公正的奖赏到了一定程度就不用奖赏，严明的刑法到一定程度就不用刑罚，修明教化到了一定程度就不用教化。

【原文】

所谓壹赏者，利禄官爵抟出于兵，无有异施也。夫固知愚、贵贱、勇怯、贤不肖，皆尽其胸臆之知，竭其股肱之力，出死而为上用也；天下豪杰贤良从之如流水。是故兵无敌而令行于天下。万乘之国不敢苏[①]其兵中原；千乘之国不敢捍[②]城。万乘之国，若有苏其兵中原者，战将覆其军；千乘之国，若有捍城者，攻将凌其城。战必覆人之军，攻必凌人之城，尽城而有之，尽宾而致之，虽厚庆赏何费匮[③]之有矣？昔汤封于赞茅，文王封于岐周，方百里。汤与桀战于鸣条之野，武王与纣战于牧野之中，大破九军，卒裂土封诸侯，士卒坐陈者，里有书社。车休息不乘，从马华山之阳，从牛于农泽，从之老而不收。此汤、武之赏也。故曰：赞茅、岐周之粟，以赏天下之人，不人得一升；以其钱赏天下之人，不人得一钱。故曰：百里之君而封侯其臣，大其旧；自士卒坐陈者，里有书社；赏之所加，宽于牛马者；何也？善因天下之货，以赏天下之人。故曰：明赏不费。汤、武既破桀、纣，海内无害，天下大定，筑五库，藏五兵，偃武事，行文教，倒载干戈，搢笏[④]，作为乐，以申其德，当此时也，赏禄不行，而民整齐。故曰：明赏之犹，至于无赏也。

【注释】

①苏：通“傃”，朝向。

②捍：守卫。

③匮：匮乏。

④搢笏：古代大臣朝见天子，将笏板插在腰带上。

【译文】

统一奖赏，就是指利益、俸禄、官职、爵位都集中出自军功，没有其他的途径。因此聪慧、愚昧、富贵、低贱、勇敢、胆怯、贤德、不贤德的，都用尽自己的智慧、竭尽全力，拼死替国君效命。天下的英雄豪杰像流水一样追随国君，所以军队无敌而政令通行天下。有万辆兵车的国家不敢在野外同它对抗，有千辆兵车的国家不敢守卫城池。拥有万辆兵车的国家如果在原野中同它对抗，一作战就会全军覆没；拥有千辆兵车的小国如果防守城池，只要一进攻就会被攻破。打仗就一定能打胜，进攻就一定能攻占，所有的城池便都能占领，所有的诸侯都会来朝贡，即使多加奖赏，怎么会不足呢？从前商汤封于赞茅，周文王封于岐周，方圆也只有百里。商汤与夏桀在鸣条开战，周武王与商纣王在牧野交战，都大败夏桀和商纣的军队，划分土地，分封诸侯，凡是临阵的士兵，回到家乡拥有土地，战车不再乘坐，把马放到华山南坡，牛放到农泽，一直到老死也不收回。这就是商汤和周武王的奖赏。因此说，赞茅、岐周的粮食，用来奖赏天下的人，每个人还得不到一升；赞茅、岐周的钱用来奖赏天下的人，每个人还不能得到一文。只拥有方圆百里土地的国君，却能封大臣为诸侯，他们的封地比原来的国土大得多；参战的士兵，回到家乡分得的土地；奖赏放宽到了牛和马，为什么呢？因为他们善于使用天下的财物，用来奖赏天下的百姓。所以说，适当的奖赏并不浪费财物。商汤、周武王已经推翻了夏桀、商纣王，国内没有灾害，天下太平。他们修建五种仓库，藏起各种兵器，停止征战，实行文教。将兵器倒着放好，不再征伐，将朝笏插在腰间，创作音乐，歌颂功德。这个时候，不用奖赏和利禄，百姓安定有序。所以说，得当的奖赏达到了一定程度，就不用再奖赏了。

【原文】

所谓壹刑者，刑无等级，自卿相、将军以至大夫、庶人，有不从王令、犯国禁、乱上制者，罪死不赦。有功于前，有败于后，不为损[①]刑。有善于前，有过于后，不为亏法。忠臣孝子有过，必以其数断。守法守职之吏有不行王法者，罪死不赦，刑及三族。同官之人，知而讦[②]之上者，自免于罪，无贵贱，尸袭其官长之官爵田禄。故曰：重刑，连其罪，则民不敢试。民不敢试，故无刑也。夫先王之禁，刺杀，断人之足，黥[③]人之面，非求伤民也，以禁奸止过也。故禁奸止过，莫若重刑。刑重而必得，则民不敢试，故国无刑民。国无刑民，故曰：明刑不戮。晋文公将欲明刑以亲百姓，于是合诸卿大夫于侍千宫，颠颉[④]后至，吏请其罪，君曰："用事焉。"吏遂断颠颉之脊以殉[⑤]。晋国之士，稽焉皆惧，曰："颠颉之有宠也，断以徇，况于我乎！"举兵伐曹、五鹿，又反郑之埤，东卫之亩，胜荆人于城濮。三军之士，止之如斩足，行之如流水。三军之士，无敢犯禁者。故一假道重轻于颠颉之脊，而晋国治。昔者，周公旦杀管叔、流霍叔，曰："犯禁者也。"天下众皆曰："亲昆弟有过，不违，而况疏远乎！"故天下知用刀锯于周庭，而海内治。故曰：明刑之犹至于无刑也。

【注释】

①损：减少。

②讦：揭发。

③黥（qíng）：古代肉刑，在脸上刺字。

④颠颉：晋国大夫，曾随晋文公逃亡。

⑤殉：示众。

【译文】

统一刑罚，是指刑罚不论等级，从卿相、将军到大夫和百姓，有不服从国君命令的、违反国家法禁的、破坏国君法律的，就是死罪，不赦免。从前立过战功，后来触犯刑罚，不减轻刑罚。从前做过好事，后来有过失，也不因此而破坏法令。忠臣、孝子有过失，根据罪过的大小来判罪。执法官吏，担任现职的官吏有不执行国君法令的，死罪，不赦免，加刑至三族。官吏的同僚，知道他们的罪行，向国君揭发，不仅自己能免罪，无论贵贱，都能继承那位官吏的官爵、土地和俸禄。所以说，加重刑罚，一人有罪，株连他人，百姓就不敢以身试法，百姓不敢以身试法，就可以不用刑罚。先王制定法令，有将人处死的，有砍断犯人脚的，有刺犯人面的，这不是想要伤害百姓，而是为了杜绝奸邪阻止犯罪。因此要杜绝奸邪阻止犯罪，没有能比得上加重刑罚的了。刑罚重而坚决执行，百姓就不敢以身试法，所以国家就没有犯罪受刑的人。国家没有受刑的人，因此说：严明的刑罚不会造成杀戮。晋文公想要严明刑罚使百姓亲近，于是在侍千宫招集卿相、大夫，颠颉来晚了，执法官请示晋文公如何定罪，晋文公说："按规定办吧。"执法官于是腰斩了颠颉来示众。晋国的百姓都很害怕地说："颠颉那样受宠，还要被杀死示众，何况我们。"后来，晋文公发兵进攻曹国和五鹿，又推翻了郑国的城墙，把卫国的田垄改为东西方向，在城濮战胜楚国。命令三军战士停止，就像被砍断了脚一样停止；命令他们进攻，就像流水一样迅速。三军士兵没有谁敢违反禁令。一次借用颠颉犯轻罪而处以重刑的办法，晋国就得到治理。古时周公旦杀死管叔，流放霍叔，说："他们是犯法的人。"天下的人都说："亲兄弟犯罪，都不能免刑，更何况疏远的人？"天下人都知道周公将刑罚用在了朝廷，国内得到治理。因此说：严明的刑罚用到一定程度就能不用刑罚。

【原文】

所谓壹教者，博闻、辩慧、信廉、礼乐、修行、群党①、任誉、请谒②，不可以富贵，不可以辟③刑，不可独立私议以陈其上。坚者被④，锐者挫。虽曰圣知、巧佞、厚朴，则不能以非功罔上利。然富贵之门，要存战而已矣。彼能战者践富贵之门。强梗焉，有常刑而不赦。是父兄、昆弟、知识、婚姻、合同者，皆曰："务之所加，存战而已矣。"夫故当壮者务于战，老弱者务于守，死者不悔，生者务劝，此臣之所谓壹教也。民之欲富贵也，共阖⑤棺而后止，而富贵之门必出于兵，是故民闻战而相贺也，起居饮食所歌谣者，战也。此臣之所谓明教之犹至于无教也。

【注释】

①群党：结党。

②请谒：请求，告求。

③辟：通“避”。

④被：通“披”，劈开。

⑤阖：闭，盖。

【译文】

统一教化，是指那些见闻广博、聪慧有辩才、诚实廉洁、懂礼乐、有道德修养、结党羽、有声名的人，不能凭借这些取得富贵，不能因为这些逃避刑罚，不能凭借独自创立学说而凌驾于法度之上。对顽固不化的要破坏，对锋芒毕露的要挫败。即使圣明睿智、巧辩奉承、根基深厚的人，也不能没有立功就取得利益。富贵的门路，只有在战功。只有能打仗的人才能踏进富贵的大门。骄横跋扈的人，就会受到惩处而不能被赦免。这样，父子、兄弟、朋友、亲戚、同乡，都说：“我们加倍努力的地方只有作战罢了。”因此，强壮的人都努力作战，年老体弱的人都努力防守，战死的人不后悔，活着的人互相鼓励，这就是统一教化。百姓想要得到富贵，都是到死后盖上棺材才罢休，富贵的大门一定都是面向作战的，所以百姓听说要打仗便互相庆贺。起居饮食时所唱的歌谣，是关于战争的。这就是我所说的严明教育到一定程度就不须要教化了。

【原文】

此臣所谓参[①]教也。圣人非能通，知万物之要也。

故其治国举要以致万物，故寡教而多功。圣人治国也，易知而难行也。是故圣人不必加②，凡主不必废，杀人不为暴、赏人不为仁者，国法明也。圣人以功授官予爵，故贤者不忧；圣人不宥③过，不赦刑，故奸无起。圣人治国也，审壹而已矣。

【注释】

①参：通“叁”。

②加：赞美。

③宥：宽恕。

【译文】

这就是我所说的三件事。圣人不是能通晓一切，而是明白万物的要领。因此他治国，抓住要领而通晓一切，所以实行这三种教育就能取得很多功绩。圣人治国的方法，容易明白却很难做到。所以圣人不须称赞，平凡的君主不一定废掉；杀人不算残暴，奖赏不算仁慈，因为国家法律严明公正。圣人按照功劳授予官爵，所以贤人不用担心，圣人不宽恕人的过失，不赦免罪行，奸邪的事便无从发生。所以，圣人治国，只是考虑统一奖赏、刑罚、教化而已。

画策第十八

【解题】

画策即谋划策略。本篇指出治国就要法治，法治就要让法度得到贯彻执行。国君必须掌控法度，才能驾驭百姓，为己所用。

【原文】

昔者昊英①之世，以伐木杀兽，人民少而木兽多。黄帝之世，不麛②不卵，官无供备之民，死不得用椁③。事不同，皆王者，时异也。神农之世，男耕而食，妇织而衣；刑政不用而治，甲兵不起而王。神农既没，以强胜弱，以众暴寡，故黄帝作为君臣上下之义、父子兄弟之礼，夫妇妃④匹之合，内行刀锯，外用甲兵。故时变也。由此观之，神农非高于黄帝也，然其名尊者，以适于时也。故以战去战，虽战可也；以杀去杀，虽杀可也；以刑去刑，虽重刑可也。

【注释】

①昊英：古代传说中的帝王。

②麛（mǐ）：幼鹿，泛指幼兽。

③椁（guǒ）：外棺，套在棺材外的大棺材。

④妃（pèi）：同“配”，婚配。

【译文】

从前昊英氏时代，让百姓砍树捕杀野兽，因为百姓少而树木和野兽多。黄帝时代，不准捕杀幼小的野兽，不取鸟蛋，官吏没有奴仆，死了不能用外棺。昊英、黄帝做的事不同，却都称王天下，因为时代不同。神农时代，男人耕种使大家有饭吃，女人织布使大家有衣裳穿；不使用刑法政令而天下太平，不用军队就能称王天下。神农死后，人们以强凌弱，以多欺少，因此黄帝制定君臣和上下的准则，父子、兄弟间的礼仪，夫妻之间的婚配原则，对内使用刑罚，对外用兵征讨，因为时代变了。由此看来，神农并非比黄帝高明，可是名声却更高，因为他顺应时代变化。因此用战争消灭战争，即使用兵也是对的；用杀人消除杀人，即使杀人也是对的；用刑罚消灭刑罚，即使使用重刑也是对的。

【原文】

昔之能制天下者，必先制其民者也；能胜强敌者，必先胜其民者也。故胜民之本在制民，若治于金、陶于土也。本不坚，则民如飞鸟禽兽，其孰能制之？民本，法也。故善治者，塞①民以法。而名地作矣。

【注释】

①塞：遏制。

【译文】

过去能掌控天下的人，一定能先制服他的百姓。能够战胜强敌的人，一定能先制服他的百姓。所以制服百姓的根本在于控制百姓，就像冶炼的人对于金属，制陶人对于泥土一样，根本不坚固，百姓就像飞鸟和野兽，有谁能控制他们呢？控制百姓的根本是法度。所以善于治国的人，用法度来遏制百姓，而名声和土地就都有了。

【原文】

名尊地广，以至王者，何故？战胜者也。名卑地削，以至于亡者，何故？战罢[①]者也。不胜而王不败而亡者，自古及今未尝有也，民勇者，战胜；民不勇者，战败。能壹民于战者，民勇；不能壹民于战者，民不勇，圣王见王之致于兵也，故举国而责[②]之于兵。入其国，观其治，民用者强。奚以知民之见用者也？民之见战也，如饿狼之见肉，则民用矣。

【注释】

①罢：通“疲”。

②责：求。

【译文】

国君的名声尊贵，土地广阔，直至称王天下，为什么？是因为打了胜仗。国君名声卑贱，土地削减，直至灭亡，又是为什么呢？战败罢了。没有打胜仗而不称王天下的，也没有打败仗而不灭亡的，这是古今未曾有过的。百姓勇敢，打仗就会获胜，百姓不勇敢就会失败。能让百姓专心作战的，百姓就勇敢；不能使百姓专心作战的，百姓就不勇敢。圣君看见称王天下的功业在于战争，所以要求全国百姓都去作战。到一个国家，观察它的治理方法，军队被充分运用国家就强大。如何知道百姓被充分使用呢？那就是百姓看见打仗，就像饿狼看见肉一样，百姓就被充分使用了。

【原文】

凡战者民之所恶也。能使民乐战者王。强国之民，父遗①其子，兄遗其弟，妻遗其夫，皆曰："不得，无返！"又曰："失法离令，若死，我死。乡治之。行间无所逃，迁徙无所入。"行间之治，连以五，辨之以章，束之以令。拙②无所处，罢无所生。是以三军之众，从令如流，死而不旋踵③。

【注释】

①遗：送。

②拙：借为"趉"，逃走。

③旋踵：转身。

【译文】

凡是战争都是百姓厌恶的，能让百姓喜欢去打仗的就能称王天下。强大国家的百姓，父亲送儿子，兄长送弟弟，妻子送丈夫，他们都说："得不到胜利不要回来！"又说："违反法令，背弃命令，你死，我也得死，乡里会治我们的罪，军队中无处可逃，我们迁徙也无处可去。"军队的管理办法，是五个人编成一伍，实行连坐，用徽章来区分，用军令来束缚。逃走也无处居住，失败了无法生存。所以三军的士兵听从命令就像流水一样，就是战死也不后退。

【原文】

国之乱也，非其法乱也，非法不用也。国皆有法，而无使法必行之法。国皆有禁奸邪、刑盗贼之法，而无使奸邪、盗贼必得之法。为奸邪盗贼者死刑，而奸邪、盗贼不止者，不必得也。必得而尚有奸邪、盗贼者，刑轻也。刑轻者，不得诛也；必得者，刑者众也。故善治者，刑不善而不赏善，故不刑而民善。不刑而民善，刑重也。刑重者，民不敢犯，故无刑也；而民莫敢为非，是一国皆善也，故不赏善而民善。赏善之不可也，犹赏不盗。故善治者，使跖①可信，而况伯夷②乎？不能治者，使伯夷可疑，而况跖乎？势不能为奸，虽跖可信也；势得为奸，虽伯夷可疑也。

【注释】

①跖：又称“盗跖”，“盗”为旧时的诬称。相传其为战国时的大盗。

②伯夷：商朝末年孤竹君的长子，忠信，有贤名。

【译文】

国家混乱，不是因为法度混乱，也不是因为法度没有用。国家都有法律，却没有让法律一定执行的办法。国家都有禁止奸邪、惩罚盗贼的法令，却没有使奸邪、盗贼一定受到制裁的办法。判处奸邪、偷盗的人死刑，奸邪、偷盗仍然不止，因为不一定能被抓住。就算能抓住却仍有奸邪、偷盗发生，是因为刑罚轻。刑罚轻，不能惩罚他们；一定要严惩他们，受刑罚的人就多了。所以善于治国的人，处罚恶人，不奖赏善人，所以，不用刑罚百姓也善良，因为刑罚重。刑罚重，百姓不敢触犯，也就没有刑罚；百姓没有谁敢做非法的事，全国的百姓就都守法。所以，不奖赏善人而百姓都善良。赏赐善良的人不可行，就像奖赏不偷盗的人一样。所以，善于治国的人，能使盗跖这样的人变得诚实可信，更何况像伯夷一样的人？不会治国的人，即使是伯夷那样的人也变得可疑，更何况盗跖之徒？如果形势让人不能做坏事，即使盗跖也可以信赖；如果形势能让人做坏事，即使伯夷也可疑。

【原文】

国或重治，或重乱。明主在上，所举必贤，则法可在贤。法可在贤，则法在下，不肖不敢为非，是谓重治。不明主在上，所举必不肖，国无明法，不肖者敢为非，是谓重乱。兵或重强，或重弱。民固欲战又不得不战，是谓重强。民固不欲战，又得无战，是谓重弱。

【译文】

国家或者治上加治，或者乱上加乱。明君在位，所选用的人一定贤能，法令便掌握在贤人手中。法令掌握在贤人手中，法令就能在下面贯彻，不贤能的人不敢做坏事，这就叫治上加治。不英明的国君在位，所选用的一定是不贤能的人，国家没有严明的法令，不贤的人敢做坏事，这就叫乱上加乱。军队或者是强上加强，或者是弱上加弱，百姓本来愿意打仗，又不能不去打仗，这叫强上加强。百姓本来不愿意打仗，又能够不去打仗，这就叫弱上加弱。

【原文】

明主不滥①富贵其臣。所谓富者，非粟米珠玉也？所谓贵者非爵位官职也？废法作私爵禄之，富贵之，滥也。凡人主德行非出人也，知非出人也，勇力非过人也。然民虽有圣知，弗敢我谋②；勇力，弗敢我杀；虽众，不敢胜其主；虽民至亿万之数，县重赏而民不敢争，行罚而民不敢怨者，法也。国乱者，民多私义；兵弱者，民多私勇。则削国之所以取爵禄者多涂③；亡国之俗，贱爵轻禄。不作而食，不战而荣，无爵而尊，无禄而富，无官而长，此之谓奸民。所谓"治主无忠臣，慈父无孝子"，欲无善言，皆以法相司④也，命相正也。不能独为非，而莫与人为非。所谓富者入多而出寡。衣食有制，饮食有节，则出寡矣。女事尽于内，男事尽于外，则入多矣。

【注释】

①滥：不节制。

②谋：图谋。

③涂：通"途"。

④司：监视。

【译文】

贤明的国君不能无节制地使臣子富贵。所谓富，不是粮食珠玉吗？所谓贵，不是爵位官职吗？废弃法度，自己做主，赐给臣子爵禄，让臣子们富贵，这就是滥施富贵。一般来说国君的德行不会高于所有的人，智慧不会超出所有的人，勇力不会超出所有的人。可是，百姓虽然有智慧，也不敢谋求国君的地位；有勇力，也不敢杀害他；虽然百姓人数多，也不敢凌驾在国君之上；百姓人数达到亿万，国君摆出优厚奖赏百姓也不敢争抢，实行刑罚百姓也不敢怨恨，因为有法度。国家混乱，因为百姓多树立个人的情义；军队的力量弱，因为百姓多逞个人勇力。弱小国家获取爵禄的途径很多；亡国的风气，是百姓轻视爵禄。不劳动就有饭吃，不打仗就有荣誉，没有爵位而获得尊崇，没有俸禄而能富有，没有官职还能逞威风，这就叫作奸民。所谓“治主无忠臣，慈父无孝子”，君主和父亲不必良言相劝，只要使用法律互相监督，用命令互相纠正。人们就不能独自做坏事，不能同别人一起做坏事。所谓富，是收入多支出少。穿衣有节度，饮食有节制，支出的就少。妇女在家中尽职，男人在外尽职，收入就多。

【原文】

所谓明者，无所不见，则群臣不敢为奸，百姓不敢为非。是以人主处匡床之上，听丝竹之声[①]，而天下治。所谓明者，使众不得不为。所谓强者天下胜，天下胜，是故合力。是以勇强不敢为暴，圣知不敢为诈，而虑用；兼天下之众，莫敢不为其所好而避其所恶。所谓强者，使勇力不得不为己用。其志足，天下益之；不足，天下说[②]之。恃天下者，天下去之；自恃者，得天下。得天下者，先自得者也；能胜强敌者，先自胜者也。

【注释】

①丝竹之声：指代音乐。

②说：通“悦”，高兴。

【译文】

所谓英明，是无所不见，大臣就不敢做不该做的事，百姓就不敢为非作歹。所以，国君坐在安适的床上，听着乐曲，天下便治理好了。所谓英明，能使百姓不能不做事。所谓强大，是制服天下人，能集中天下的力量。因此强悍的人不敢暴乱，聪慧的人不敢欺诈并凭借空谈被选用；拥有全天下，没有谁敢不做国君喜欢的事，而回避国君所厌恶的。所谓强大，是指他能使有勇力的人不得不为自己所用。他的意志充分实现，天下都能得到好处；他的意志不能充分实现，天下的人也都喜欢他。依靠天下的人，天下的人就会离开他；依靠自己的人，就能得到天下。取得天下的国君，先要掌控自己；能战胜强敌的人，先要战胜自己。

【原文】

圣人知必然之理、必为之时势，故为必治之政，战必勇之民；行必听之令。是以兵出而无敌，令行而天下服从。黄鹄之飞，一举千里，有必飞之备也；丽丽巨巨[①]，日走千里，有必走之势也；虎豹熊罴，鸷[②]而无敌，有必胜之理也。圣人见本然之政，知必然之理，故其制民也，如以高下制水，如以燥湿制火。故曰：仁者能仁于人，而不能使人仁；义者能爱于人，而不能使人爱。是以知仁义之不足以治天下也。圣人有必信之性，又有使天下不得不信之法。所谓义者，为人臣忠，为人子孝，少长有礼，男女有别；非其义也，饿不苟食，死不苟生。此乃有法之常也。圣王者，不贵义而贵法。法必明，令必行，则已矣。

【注释】

①丽丽巨巨：传说中的良马。

②鸷：凶猛。

【译文】

圣人懂得事物发展的必然规律、一定会顺应发展的形势，因此制定一定使国家安定的法令，使用每战必胜的百姓，推行百姓一定能听从的命令。所以打仗便会无敌，命令推行天下便会服从。黄鹄飞翔，一飞便是上千里，因为具备飞行千里的翅膀。丽丽巨巨一天跑一千里，因为具备奔跑一千里的足力。虎豹熊罴，凶残无敌，因为具备战胜其他野兽的能力。圣人发现治理国家的准则，知道社会必然的发展规律，所以他治理百姓，就像利用地势高低控制水流，用物品的干湿控制火。所以，仁慈的人能够对别人仁慈却不能使别人仁慈；道义的人能够爱别人，却不能使别人相爱。因此，仁慈、道义不足以治理天下。圣人有让天下人信任的品德，又具有让天下人不得不信任的办法。所谓道义，是说作为臣子要忠诚，做儿子要孝顺，长幼之间有礼节，男女之间要有分别。如果不合道义，就是饿死也不能苟且吃饭，死也不能苟且偷生。这些是有法度的国家的平常的事。因此，圣君不重视道义而重视法度，法度必定明确，命令必须执行，这样就可以了。

境内第十九

【解题】

本篇记载了秦国的户籍制度、仆役分配制度、军功奖励办法等方面。

【原文】

四境之内，丈夫女子皆有名于上，生者著，死者削。

【译文】

国境内的男女都在官府登记在册，新生的就记录下来，死去的就注销。

【原文】

其有爵者乞无爵者以为庶子①，级乞一人。其无役事②也，其庶子役其大夫，月六日；其役事也，随而养③之军。

【注释】

①庶子：家臣。

②役事：兵役。

③养：供养。

【译文】

有爵位的人讨要没有爵位的人做他的家臣，每一级可以要一个。没有战事的时候，家臣每月为他的大夫服役六天。有战事的时候，就跟随主人到军中侍奉。

【原文】

爵自一级已下至小夫，命曰到校、徒、操、公、士。爵自二级已上至不更，命曰卒。其战也，五人束簿为伍，一人兆[①]而到[②]其四人，能人得一首[③]则复。五人一屯长，百人一将。其战，百将、屯长不得首，斩得三十三首以上，盈论，百将、屯长赐爵一级。

【注释】

①兆：通“逃”。

②到：砍头。

③首：敌人首级。

【译文】

军中爵位，从一级以下到小夫叫校、徒、操、公、士。朝中爵位，从二级以上到不更，叫卒。在战争期间，五人编为一个名册，为一伍，其中一人逃跑，就加刑于另外四个人，如果能斩获敌人一颗首级，就能免除刑罚。每五人设有一个“屯长”，一百人设有一“将”。作战时，将、屯长得不到敌人首级，是要杀头的；如果得到敌人首级三十三颗以上，就按满额行赏，将、屯长赏赐爵位一级。

【原文】

五百主，短兵五十人；二五百主，将之主，短兵百。千石之令，短兵百人；八百之令，短兵八十人；

七百之令，短兵七十人；六百之令，短兵六十人。国尉，短兵千人。将，短兵四千人。战及死事，而刭短兵，能一首则复。

能攻城围邑斩首八千已上，则盈论；野战斩首二千，则盈论；吏自操及校以上大将尽赏。行间之吏也，故爵公士也，就为上造也；故爵上造，就为簪袅；故爵簪袅，就为不更；故爵不更，就为大夫。爵吏而为县尉，则赐虏[1]六，加五千六百。爵大夫而为国尉，就为官大夫；故爵官大夫，就为公大夫；故爵公大夫，就为公乘；故爵公乘，就为五大夫，则税邑[2]三百家。故爵五大夫，就为大庶长；故大庶长，就为左更；故三更也，就为大良造；皆有赐邑三百家，有赐税三百家。爵五大夫，有税邑六百家者，受客。大将、御、参皆赐爵三级。故客卿相，盈论，就正卿。

【注释】

①虏：奴隶。

②税邑：食邑。

【译文】

五百人的将领有五十个短兵；统率两个五百人的将，是将官中的首领，有一百个短兵。千石俸禄的长官，有一百个短兵。八百石俸禄的长官，有八十个短兵；七百石俸禄的长官，有七十个短兵；六百石俸禄的长官，有六十个短兵。国尉有一千个短兵，大将有四千个短兵。如果将官战死，短兵要受刑罚；如果能够得到一颗敌人的首级，就可免除刑罚。

围攻敌国的城邑，能够斩获八千颗以上敌人首级，就按满额论功行赏；在野战中能够斩获两千颗以上敌人首级，就按满额论功行赏；将吏从操士及校徒以上到大将都可得到赏赐。军中的官吏，旧爵是公士，升为上造；旧爵是上造，升为簪袅；旧爵是簪袅，升为不更；旧爵为不更，升为大夫。旧爵是小吏，升为县尉，赏赐六个奴隶，五千六百钱。旧爵为大夫，管理国家政务，升为官大夫。旧爵为官大夫，升为公大夫；旧爵为公大夫，升为公乘；旧爵为公乘，升为五大夫，赏赐三百户的封邑。旧爵是五大夫，升为大庶长；旧爵为大庶长，升为左更；旧爵为三更，升为大良造。都赏赐三百户的封邑，并赏赐三百户的地税。爵位为五大夫，有六百户的封邑可以招揽门客。将军、车夫、骖乘都赏赐爵位三级。原来是客卿身份为相的，达到朝廷的规定，可升为正卿。

【原文】

以战故，暴首①三日，乃校②三日，将军以不疑致士大夫劳爵。夫劳爵，其县过三日有不致士大夫劳爵，罢其县四尉，訾③由丞尉。

【注释】

①暴首：陈列斩获敌人首级。

②校：校验，查对。

③訾：评估。

【译文】

停战后，把斩获的敌人首级示众三天，核实三天，将军认为无误，就按功赏给战士和大夫爵位。劳爵，县府过了三天还没有落实赏给战士和大夫，就撤去县尉的职位，由该县的丞尉审判。

【原文】

能得甲首一者，赏爵一级，益田一顷，益宅九亩，除庶子一人，乃得入兵官之吏。

【译文】

能够斩获一颗敌人甲士首级就赐给爵位一级，增加一顷田地，增加九亩宅地，赐给一名家臣，还可以担任军队或官府的官员。

【原文】

其狱法，高爵訾下爵级。高爵罢，无给有爵人隶仆。爵自二级以上，有刑罪则贬。爵自一级以下，有刑罪则已①；小夫死。

【注释】

①已：停止。

【译文】

治罪的法律，由爵位高的人审判爵位低的，爵位高的被罢免，不再给予他原本爵位所能的奴仆。二级爵位的人犯了罪，就降低他的爵位；一级以下爵位的人犯罪，就取消他的爵位；小夫犯罪就会处死。

【原文】

公士以上至大夫，其官级一等，其墓树级一树。

【译文】

公上直到大夫，死后爵位每高一级，他的坟旁就多栽一棵树。

【原文】

其攻城围邑也，国司空訾①其城之广厚之数。国尉分地，以校徒分积尺而攻之，为期，曰："先已者当为最启，后已者訾为最殿。再訾则废。"穴通则积薪，积薪则燔②柱。陷队之士，面十八人。陷队之士，知疾斗，不得，斩首。队五人，则陷队之士，人赐爵一级。死，则一人后。不能死之，千人环规③，黥劓④于城下。国尉分地，以中卒随之。将军为木台，与国正监、与王御史参望之。其先入者，举为最启；其后入者，举为最殿。其陷队也，尽其几者；几者不足，乃以欲级益之。

【注释】

①訾：测量。

②燔：焚烧。

③规：通"窥"，观看。

④劓（yì）：割鼻子的酷刑。

【译文】

围攻敌国城邑时，国司空测量城墙的宽度和厚度，国尉划分攻打的地点，校徒按立方来挖掘城墙，定出期限，命令说："最先完成的立头功，最后完成的斥为末等，两次被斥为末等就废除爵位。”打穿洞穴，就塞上杂柴，焚烧木柱。冲锋陷阵的士兵，城的每个方向分布十八人。冲锋陷阵的士兵都知道拼死战斗，不成功就要被杀。一队如能斩获五颗敌人首级，每人都获爵位一级；如果战死，家族中可以有一人继承爵位。如果胆怯退缩，就在千人围观下，在城下处以黥刑劓刑。国尉划分攻打地点，中军的士兵应服从分派。将军搭起木台，和国正监、王御史一同观望。士兵先进城的为头功，后进城的为末等。冲锋陷阵的士兵，全用自愿申请的人，自己申请的人不够，就用希望晋级的人补够。

弱民第二十

【解题】

让百姓服从国家法令。本篇论述了弱民政策的基本国策，并且指出弱民政策的关键是用严明的奖罚保证农战。

【原文】

民弱国强，民强国弱。故有道之国务在弱民。朴则弱，淫则强。弱则轨①，强则越志②。轨则有用，越志则犷。故曰：以强去强者，弱；以弱去强者，强。

【注释】

①轨：遵循。

②越志：放纵心性。

【译文】

百姓弱，国家就强，百姓强，国家就弱。所以治理得当的国家要使百姓弱。百姓淳朴就弱，百姓放纵就强。弱就会守法。强就任意而行。守法就会听从役使，任意而行就会不可控制。所以说采取强民政策以去除强民，国家就弱；采用弱民政策以去除强民，国家就强。

【原文】

民，善之则亲，利之用则和；用则有任，和则匮；

有任，乃富于政。上舍法，任民之所善，故奸多。民贫则力富，力富则淫，淫则有虱。故民富而不用，则使民以食出爵，各必有力，则农不偷。农不偷，六虱无萌。故国富而民治，重强。

【译文】

百姓，国家善待他们，他们就彼此亲近；合理利用他们，他们就与国家同心。利用他们，他们就尽心任职。与国家同心，国家就不贫困；全力工作，政令就会取得良效。国君抛弃法度，放任百姓做自己喜欢做的事，奸邪就多了。百姓贫穷就会尽力致富，致富就会放荡，放荡就会产生危害。所以百姓富裕而没有战事，就让他们以粮食换取官爵，使他们每人都必须出力，农民就不懈怠。农民不懈怠，六种危害就不会产生。所以国家富强，百姓得到治理，就是强上加强。

【原文】

兵易弱难强。民乐生安佚，死难，难正[①]。易之则强。事有羞，多奸；寡赏，无失，多奸疑[②]。敌失必利。兵至强威；事无羞，利。用兵。久处利势，必王。故兵行敌之所不敢行，强；事兴敌之所羞为，利。

【注释】

①正：决定。

②疑：止息。

【译文】

兵力衰弱容易，强大困难。百姓都爱惜生命，安逸享乐，为国难赴死很难做到。如果让百姓认为这不是难事，兵力就强大了。百姓若羞于作战，奸邪就会多；不滥奖赏，就没有过失。奸邪止息。敌人有过失，就会对我们有利。兵力强大，就会产生威势，不以作战为羞耻就有利于用兵。长时间处于有利形势，一定能称王。因此用兵做敌人所不敢做的，就强大；做敌人耻于做的，就有利。

【原文】

法有，民安其次①。主变，事能得齐②。国守安，主操权，利。故主贵多变，国贵少变。

【注释】

①次：秩序。

②齐：通“济”，成功。

【译文】

法度有常，百姓就能各安其位；国君随机应变，事情就能成功。国家有常法，国君操控权柄，就有利于国家。所以国君以机变为贵，国家以少变为贵。

【原文】

利出一孔则国多物，出十孔则国少物。守一者治，守十者乱。治则强，乱则弱。强则物来，弱则物去。故国致物者强，去物者弱。

【译文】

利禄出于一个途径国家的物资就多，出于十个途径国家的物资就少。利用一条途径国家就太平；利用十条途径国家就混乱。国家太平就会强大，混乱就会弱小。强，物资就会聚集；弱，物资就会流散。所以使国家物资聚集就强，物资流散就弱。

【原文】

民，辱则贵爵，弱则尊官，贫则重赏。以刑治，民则乐用；以赏战，民则轻死。故战事兵用曰强。民有私荣，则贱列卑官；富则轻赏。治民羞辱以刑，战则战。民畏死、事乱而战，故兵农怠而国弱。

【译文】

百姓地位卑下就会崇尚爵位，怯弱就会尊重官吏；贫穷就看重奖赏。用刑罚统治，百姓就乐于被役使；用赏赐奖励作战，百姓就会轻视死亡。所以作战时士兵全力以赴就叫强。百姓自以为荣，就会轻视爵位蔑视官吏；百姓富裕就看轻奖赏。治理百姓，用刑罚使他们知道羞耻，战争时他们才会出战。百姓怕死政治纷乱而去作战，士兵与农民都会怠惰，国家就会衰弱。

【原文】

农、商、官三者，国之常官也。农辟地，商致物，官治民。三官生虱六，曰岁，曰食；曰美，曰好；曰志，曰行。六者有朴必削。农有余食，则薄燕[①]于岁；商有淫利，有美好，伤器；官设而不用，志行为卒[②]。六虱成俗，兵必大败。

【注释】

①燕：闲适，安逸。

②卒：众。

【译文】

农民、商人、官吏，这三种人是国家正常的职业。农民开垦土地，商人贩卖货物，官吏治理百姓。这三种职业会产生六种虱害：第一是岁虱，第二是食虱，第三是美虱，第四是好虱，第五是志虱，第六是行虱。这六种虱害扎根，国家必定削弱。农民有余粮，就安逸享乐；商人获得丰厚利润，贩卖华丽好玩的物品，对于日用物品的流程产生不良影响；官吏设置，而不肯出力，思想行为成为危害。六种虱害形成风气，作战一定大败。

【原文】

法枉治乱，任善言多。治众国乱，言多兵弱。法明治省，任力言息。治省国治，言息兵强。故治大国小；治小国大。

【译文】

法度扭曲，治理就错乱。施行“仁政”，空谈就盛行。治理方针纷繁，国家就混乱。空谈盛行兵力就弱。法度明确，治理就省简。任用力量，空谈就会停止。治理省简，国家就太平。空谈停止，兵力就强大。所以统治繁杂，国家就弱小；治理省简，国家就强大。

【原文】

政作民之所恶，民弱；政作民之所乐，民强。民弱国强，民强国弱。故民之所乐民强，民强而强之，兵重弱。民之所乐民强，民强而弱之，兵重强。故以强重弱，削；以弱重强，王。以强攻强弱，强存。以弱攻弱强，强去。强存则弱，强去则王。故以强政弱，削；以弱攻强，王也。

【译文】

政策建立人民所厌恶的，百姓就弱；政策建立人民所喜好的，百姓就强。百姓弱国家就强；百姓强国家就弱。百姓所喜欢的是强民政策，百姓强大又采取强民政策，兵力就弱上加弱。百姓所喜欢的是强民政策，百姓强却使他们转弱，兵力就会强上加强。所以实行强民政策，兵力就会弱上加弱，国家就被削弱；实行弱民政策，兵力就会强上加强，就能称王天下。用强民政策治理强民，国家就弱，强民仍然存在；用弱民政策治理弱民，国家就强，强民就会被消灭。强民存在，国家就弱；强民消失，国家就能称王天下。因此用强民政策治理弱民，国家就会削弱；用弱民政策治理强民，就能称王天下。

【原文】

明主之使其臣也，用必加于功，赏必尽其劳。人主使其民信此如日月，则无敌矣。今离娄见秋豪之末，不能以明目易人；乌获举千钧之重，不能以多力易人；圣贤在体性也，不能以相易也。今当世之用事者，若欲为上圣，举法之谓也。背法而治，此任重道远而无马牛，济大川而无舡[①]楫也。今夫人众兵强，此帝王之大资也，苟非明法以守之也，与危亡为邻。故明主察法，境内之民无辟淫之心，游处之士迫于战陈，万民疾于耕战。有以知其然也。楚国之民齐疾而均，速若飘风[②]；宛钜铁铊[③]，利若蜂虿[④]；胁鲛犀兕，坚若金石；江、汉以为池，汝、颍以为限；隐以邓林，缘以方城。秦师至，鄢郢举，若振槁；唐蔑死于垂涉，庄跻发于内，楚分为五。地非不大也，民非不众也，甲兵财用非不多也；战不胜，守不固，此无法之所生也，释权衡而操轻重者。

【注释】

①舡（xiāng）：船。

②飘风：旋风。

③铊（shī）：矛。

④虿（chài）：蜂尾的刺。

【译文】

明君任用臣下，任命一定要凭借功绩，奖赏一定要完全根据功劳。国君使百姓相信这一点就像相信日月，就能天下无敌。离娄能看到秋毫之末，但不能将好眼力给别人；乌获能举起千钧的重量却不能把大力气给别人。圣贤的才能秉性，也不能给别人。当今掌权的人如果想成为圣人，就要实行法治。舍弃法度治理国家，就像负担远行而没有牛马，又像想渡河而没有船。人多兵强是成就帝业的大资本，如果不明确法度巩固它，就接近危亡。明君修明法度，百姓就没有奸邪的想法，说客隐士都不得不参战，百姓都努力从事农战。国君要明白这个道理。楚国的百姓行动迅捷而统一，快如旋风。手持宛地的长矛，如蜂蝎一样锋利，身披鲛鱼、犀牛皮制的铠甲，像金石一样坚固。又有长江、汉水作为护城河，汝水、颍水作为凭借，有邓林作为屏障，有方城作为要塞。可是秦军一到，攻下鄢郢，就像抖落枯叶。唐蔑在垂沙战死，庄跻在国内起义，楚国就四分五裂了。楚国的土地不是不广阔，百姓不是不多，兵甲财物不是不充足，却不能取胜，防守不坚固，这就是不修明法度的结果，就像舍弃权衡去量轻重一样。

御盗第二十一

本篇亡佚。

外内第二十二

【解题】

外内即对内对外的政策。本篇论述了对外重战，对内重农的思想策略。

【原文】

民之外事莫难于战，故轻法不可以使之。奚谓轻法？其赏少而威薄、淫道不塞之谓也。奚谓淫道？为辩知者贵、游宦者任、文学私名显之谓也。三者不塞，则民不战而事失矣。故其赏少，则听者无利也；威薄，则犯者无害也。故开淫道以诱之，而以轻法战之，是谓设鼠而饵以狸也，亦不几[①]乎！故欲战其民者，必以重法。赏则必多，威则必严，淫道必塞，为辩知者不贵，游宦者不任，文学私名不显。赏多威严，民见战赏之多则忘死，见不战之辱则苦生。赏使之忘死，而威使之苦生，而淫道又塞，以此遇敌，是以百石之弩射飘叶也，何不陷[②]之有哉？

【注释】

①几：希望渺茫。

②陷：攻破。

【译文】

百姓认为对外，没有比战争更危险的了。所以轻法不能使他们去作战。什么叫轻法？奖赏少、刑罚不重，放任的路没有堵塞。什么是放任的道路？善辩的人得到尊贵，游说求官的人得到任用，长于儒学的人名声得到彰显。这三种途径若不堵塞，百姓不肯出战，战事就会失败。因为赏赐少，听从的人没有好处；刑罚轻，违反的人不会受到处罚。所以开启放荡的途径引诱百姓，用轻法驱使百姓作战，就像捕老鼠而以狸猫为饵一样，难道不是很渺茫吗？要想让百姓作战，必须用重法。赏赐必须多，威势必须严，放荡的途径必须堵塞。让善辩的人得不到尊贵，游说求官的人得不到任用，长于文学的人名声得不到彰显。赏赐多而威势严，百姓看见赏赐多就忘了死亡的危险；看见不作战受到的侮辱就害怕那样活着。重赏使他们忘记死的危险，威势使他们害怕屈辱地活着，放荡之路被阻塞，以此来对敌，就像用百石的强弩射飘摇的树叶，岂能攻不破？

【原文】

民之内事，莫苦于农，故轻治不可以使之。奚谓轻治？其农贫而商富，故其食贱者钱重，食贱则农贫，钱重则商富；末事不禁，则技巧之人利，而游食者众之谓也。故农之用力最苦，而赢利少，不如商贾、技巧之人。苟能令商贾、技巧之人无繁，则欲国之无富，不可得也。故曰：欲农富其国者，境内之食必贵，而不农之征[1]必多，市利之租必重。则民不得无田，无田不得不易[2]其食，食贵则田者利，田者利则事者众。食贵，籴食不利，而又加重征，则民不得无去其商贾、技巧而事地利矣。故民之力尽在于地利矣。

【注释】

①征：赋税。

②易：交换。

【译文】

百姓认为对内，没有比农事更苦的。所以轻治不能役使他们。什么叫轻治？农民贫穷而商人富裕。所以粮食便宜而钱就值钱；粮食便宜农民就贫穷，钱值钱商人就富裕。不限制工商业，手工业者就获利，而游荡求食的人也随之增多。所以农民出力最苦，而获利最少，不如商人和手工业者。如果能使商人和手工业者没那么多，想国家不富都不可能。所以，想依靠农业来富国，粮价必须贵，而不从事农耕的赋税必须多，市场的利税必须加重。百姓就不得不去种田，不种田的就不得不买粮，粮贵农民就获利，种田获利，务农的人就多。粮食贵，买粮就不合适，而又加重赋税，百姓就不得不放弃经商、手工业而去务农获取利益。所以百姓的力量就都集中到农业。

【原文】

故为国者，边利尽归于兵，市利尽归于农。边利归于兵者强，市利归于农者富。故出战而强，入休而富者，王也。

【译文】

所以治国的人，要把守卫边境的利益都给士兵，市场的利益都给农民。作战边境的利益给士兵，国家就强大；市场的利益给农民，国家就富足。所以在外打仗就强大，在内休息国家就富足，就能称王天下。

君臣第二十三

【解题】

本篇论述了国君重视法度的重要性，只有尊重法度才能令国家强大，令国君的地位受到尊崇。

【原文】

古者未有君臣、上下之时，民乱而不治。是以圣人列贵贱，制爵位，立名号，以别君臣上下之义。地广，民众，万物多，故分五官而守之。民众而奸邪生，故立法制、为度量①以禁之。是故有君臣之义、五官之分、法制之禁，不可不慎也。

【注释】

①度量：法度，标准。

【译文】

古代没有君臣上下的时候，百姓纷乱没有秩序。所以圣人区别贵贱，设立爵位，建立名号，来区分君臣上下关系。土地广阔，百姓众多，物产富饶，所以分设五官来管理。百姓众多就会产生奸邪的行为，所以确立法度标准来禁止。所以就有了君臣等级关系、五官的职守、法律的禁止，行事不能不慎重。

【原文】

处君位而令不行，则危；五官分而无常，则乱；法制设而私善行，则民不畏刑。君尊则令行，官修则有常事，法制明则民畏刑。法制不明，而求民之行令也，不可得也。民不从令，而求君之尊也，虽尧、舜之知，不能以治。

【译文】

处在君位而命令不能贯彻，国家就危险；五官分职却不遵守常规，国家就混乱；法度建立私惠盛行，百姓就不害怕刑罚。国君有尊严，法令才能贯彻；官吏修明才能遵守常规；法度严明，百姓才害怕刑罚。法度不明，而要求百姓服从法度，是不可能的。百姓不服从法令而希望国君有尊严，即使国君有尧舜那样的智慧，也做不到。

【原文】

明王之治天下也，缘法而治，按功而赏。凡民之所疾战不避死者，以求爵禄也。明君之治国也，士有斩首、捕虏之功，必其爵足荣也，禄足食也。农不离廛[①]者，足以养二亲，治军事。故军士死节，而农民不偷也。

【注释】

①廛（chán）：古代一家所占的房屋。这里是指民居，处所。

【译文】

明君治理天下，遵照法度治理，按照功劳奖赏。凡是百姓奋勇作战不怕死的，是为了获得爵禄。明君治理国家，战士有斩获首级、捕获俘虏的功劳，一定让他的爵位足够荣耀，俸禄足够养家。农民不离开住处，也足够奉养双亲，供给军队粮草。因此士兵才肯拼死作战，农民才不会惰怠。

【原文】

今世君不然，释法而以知，背功而以誉，故军士不战而农民流徙。臣闻：道民之门，在上所先。故民，可令农战，可令游宦，可令学问，在上所与。上以功劳与，则民战；上以《诗》《书》与，则民学问，民之于利也，若水于下也，四旁无择也。民徒可以得利而为之者，上与之也。瞋目扼腕[①]而语勇者得，垂衣裳而谈说者得，迟日旷久积劳私门者得。尊向[②]三者，无功而皆可以得，民去农战而为之。或谈议而索之，或事便辟而请之，或以勇争之。故农战之民日寡，而游食者愈众，则国乱而地削，兵弱而主卑。此其所以然者，释法制而任名誉也。

【注释】

①瞋目扼腕：形容愤怒、气势汹汹的样子。

②向：以往。指以上。

【译文】

今天的国君却不如此，他们抛开法度而凭借智慧治国，舍弃功劳而用声誉封赏。所以军士不肯作战而农民迁徙。我听说：引导百姓的关键在于国君的倡导。农民，可以使他们务农作战，可以使他们游说求官，可以使他们做学问。都在于国君的赏赐。按照战功奖赏，百姓就作战；按照《诗》《书》奖赏，百姓就做学问。百姓追逐利益，就像水向低处流，没有选择。百姓只要可以获利就会乐于做的事，取决于国君的奖赏。凭表现勇武得利，凭高谈阔论得利，凭依附权贵得利。尊崇这三种人，他们没有功劳却获得利益，百姓就要放弃农战去做这些事了。有人用空谈获取，有人依附权贵获取，有人用悍勇获取。所以从事农战的百姓日益减少，而靠游说吃饭的人越来越多。国家就会混乱，土地被割削，兵力弱而国君卑微。之所以如此，是国君舍弃法度而任用虚名。

【原文】

故明主慎法制。言不中①法者不听也，行不中法者不高也，事不中法者不为也。言中法，则辩②之；行中法，则高之；事中法，则为之。故国治而地广，兵强而主尊，此治之至也。人君者不可不察也。

【注释】

①中：符合。

②辩：言辞动听。

【译文】

所以，明主重视法度，言论不合法度就不听从，行为不合法度就不推崇，事情不合法度就不做。言论合乎法度就听从；行为合乎法度就推崇；事情合乎法度就去做。所以国家太平，土地辽阔，军队强大，国君地位尊贵。这是国家太平的最高境界。国君不能不明察啊。

禁使第二十四

【解题】

本篇讲述国君如何借势和采取合适方法，来驾驭大臣百姓。强调让利害不同的人相互监督、相互制约。

【原文】

人主之所以禁使者，赏罚也。赏随功，罚随罪。故论功察罪，不可不审也。夫赏高罚下，而上无必知其道也，与无道同也。

【译文】

国君限制和役使臣下的手段是奖赏和刑罚。奖赏依据功劳，刑罚根据罪行。所以评定功劳考察罪行，不能不慎重。赏有功罚有罪，国君如果不确知其中的道理，就同没有法度一样。

【原文】

凡知道者，势、数也。故先王不恃其强而恃其势；不恃其信，而恃其数。今夫飞蓬遇飘风而行千里，乘风之势也；探渊者知千仞之深，县绳之数也。故托其势者，虽远必至；守其数者，虽深必得。今夫幽夜，山陵之大，而离娄不见；清朝日䵚[①]，则上别飞鸟，下察秋豪。故目之见也，托日之势也。得势之至，不参[②]官而洁，陈数而物当[③]。今恃多官众吏，官立丞、监。夫置丞立监者，且以禁人之为利也；而丞、监亦欲为利，则何以相禁？故恃丞、监而治者，仅存之治也。通数者不然也。别其势，难其道，故曰：其势难匿者，虽跖不为非焉。故先王贵势。

【注释】

①黱（tuān）：明亮。

②参：多。

③当：适当。

【译文】

凡是懂得法度就是懂得运用客观形势和统治的方法。所以先王不仗恃强悍而是仗恃客观形势；不仗恃忠信而仗恃统治方法。如今飞蓬遇旋风飘上千里，是凭借风势；测量深渊的人能够知道八千尺的深度，是靠的悬绳。所以依仗客观形势，即使道路遥远也一定能到达。掌握方法，即使很深也一定能测量到。如果现在是黑夜，山川高大，离娄也看不见；而清晨的阳光明亮，他能够辨别天上的飞鸟，地上秋天的毫毛。之所以眼睛能看见是靠太阳的光明。利用客观形势，不须多设考验，官吏就能廉洁，方法适宜，政事就能得到处理。如今依靠众多官吏，又设丞和监。设立丞和监，是为了禁止谋私利。但丞和监也想谋私利，如何禁止？所以依靠丞和监治理，只能免于灭亡。通晓治国方法的人就不会这样。分划他们的权势，使他们难以谋私，所以说：客观形势让做坏事的人难以隐瞒，即使是盗跖也不敢做坏事。所以先王重视对形势的利用。

【原文】

或曰："人主执虚后以应，则物应稽验[1]；稽验，则奸得。"臣以为不然。夫吏专制决事于千里之外，十二月而计书以定，事以一岁别计，而主以一听，见所疑焉，不可蔽[2]，员[3]不足。夫物至，则目不得不见；言薄，则耳不得不闻。故物至则变[4]，言至则论。故治国之制，民不得避罪，如目不能以所见遁心。今乱国不然，恃多官众吏。吏虽众，事同体一也。夫事同体一者相监不可。且夫利异而害不同者，先王所以为保[5]也。故至治，夫妻、交友不能相为弃恶盖非，而不害于亲，民人不能相为隐。上与吏也，事合而利异者也。今夫驺、虞，以相监不可，事合而利同者也。若使马、焉能言，则驺、虞无所逃其恶矣，利异也。利合而恶同者，父不能以问子，君不能以问臣。吏之与吏，利合而恶同也。夫事合而利异者，先王之所以为保也。民之蔽主，而不害于监。贤者不能益，不肖者不能损。故遗贤去智，治之数也。

【注释】

①稽验：查验。

②蔽：决断。

③员：物数。

④变：通"辨"，辨明。

⑤保：连坐。

【译文】

有人说："国君虚静稳重对待一切，事物得到查验，经过查验就能发现奸邪。”我认为不是这样。官吏在千里之外决断政务，按十二个月将事务登记在簿书上。以年为单位汇报，国君听一次，即使有所怀疑也不能断定，因为证据不足。但是事物在眼前就不得不看，言论在耳边就不得不听。所以事物在眼前就能辨明；言论在耳边就能论定。所以政治清明的国家的法度，百姓不能逃避罪行，就像眼睛看到的不能逃出内心的审视。混乱的国家不是这样，只凭官吏众多来治理。官吏虽多，工作的利益一致。利益一致就不能互相监督。利害不同，才是先王实行连坐的保证。太平的政治，夫妻、朋友都不能互相掩盖罪恶，这不是伤害亲情，而是百姓不能相互隐瞒。国君与官吏，事务相关而利益不同。让马夫互相监督就不行，因为他们事务相关而利益一致。假如马会说话，马夫的罪行就无处隐藏，因为马和马夫的利益不同。利益和罪行一致，父亲不能追究儿子，君主不能追究臣下。官吏之间就是利益相同而罪行一致的情况。事务相关而利益不同，才是先王实施连坐的依据。百姓蒙蔽国君而无妨碍，这样贤人就不能增加，不贤的人不能减少。所以，不依靠贤人和智者，才是正确的统治方法。

慎法第二十五

【解题】

慎法，即严格遵守法令。国家制定法令就必须严格遵守，必须杜绝空谈、虚名。奖罚必须以法度为标准。

【原文】

凡世莫不以其所以乱者治，故小治而小乱，大治而大乱。人主莫能世治其民，世无不乱之国。奚谓以其所以乱者治？夫举贤能，世之所以治也，而治之所以乱。世之所谓贤者，善正也。所以为善正也，党也。听其言也，则以为能；问其党，以为然。故贵之不待其有功，诛之不待其有罪也。此其势正使污吏有资①而成其奸险，小人有资而施其巧诈。初假②吏民奸诈之本，而求端悫③其末，禹不能以使十人之众，庸主安能以御一国之民？

【注释】

①资：凭借。

②假：给予。

③悫：诚实。

【译文】

现在的国君没有不用乱国的方法去治国的，所以管得少国家就小乱，管得大，国家就大乱。国君不能够世代统治百姓，世上没有不乱的国家。什么叫作用乱国的方法治国？任用贤人，就是现在国君采用的方法，这正是国家混乱的原因。因为人们所谓的贤，是良善、正直。良善正直的名声出于他们的党羽。国君听他的言论，认为他贤能；询问他的党羽，称赞他贤能，因而不等他立功，就赐予官爵，不等犯罪，就加以刑罚。这就使贪官污吏有所凭借完成他们奸邪的行为，使小人有所凭借而施展他们的巧诈。树立了官吏和百姓欺诈的根本，而希望他们长出端正和诚实的枝叶，即使禹也不能以此役使十几个人的小团体；平庸的国君又怎能统治一国百姓呢？

【原文】

彼而党与人者，不待我而有成事者也。上举一与民，民倍主位而向私交。民倍主位而向私交，则君弱而臣强。君人者不察也，非侵于诸侯必劫于百姓。彼言说之势，愚智同学之，士学于言说之人，则民释实事而诵虚词。民释实事而诵虚词，则力少而非①多。君人者不察也，以战必损其将，以守必卖②其城。

【注释】

①非：通“诽”，诽谤。

②卖：出卖，背叛。

【译文】

那些结成党羽的人，不等国君的命令就能干成自己的事，国君任用一个这样的人，百姓就背叛国君而私下勾结。百姓背叛国君而私下勾结，国君就弱，大臣就强。国君不明白这一点，不是被诸侯侵犯，就是被百姓推翻。受空谈的人影响，愚昧和智慧的人一齐仿效他们，向空谈的人学习，百姓都放弃本职工作，去空谈。百姓放弃本职工作去空谈，国家实力就少，而非议多。国君不明白这一点，用这样的人去作战，一定损兵折将；用这样的人去守卫，必定会出卖城邑。

【原文】

故有明主忠臣产于今世而欲领其国者，不可以须臾忘于法。破胜党任①，节去言谈，任法而治矣。使吏非法无以守，则虽巧不得为奸。使民非战无以效其能，则虽险不得为诈。夫以法相治，以数相举。誉者不能相益；訾②者不能相损。民见相誉无益，习相爱不相阿③；见訾言无损，习相憎不相害也。夫爱人者不阿；憎人者不害。爱恶各以其正，治之至也。臣故曰：法任而国治矣。

【注释】

①任：奸邪。

②訾：诋毁。

③阿：徇私。

【译文】

所以明主忠臣出现，想要统治他们的国家，片刻不能忘记法度。战胜党羽奸巧，禁止空谈，依照法度治理。使官吏除了法度没有任何凭借，即使奸巧也不能做坏事。使百姓除了战争没有施展能力的地方，即使奸诈也不能做坏事。用法度来治理，以规定来用人。赞誉不会对他人带来好处；诋毁，不会对他人带来损害。百姓见相互称誉没有好处，就相互监督不徇私，见诋毁没有给他人带来损害，就相互监督但不去损害他人。喜爱某人，而不偏私；憎恶某人而不贬损。喜爱和憎恶都有正当的表现，是统治的至高境界。所以我说运用法度国家就可以太平。

【原文】

千乘能以守者，自存也；万乘能以战者，自完也；虽桀为主，不肯诎①半辞以下其敌。外不能战，内不能守，虽尧为主，不能以不臣谐②所谓不若之国。自此观之，国之所以重，主之所以尊者，力也。于此二者本于力，而世主莫能致力者，何也？使民之所苦者无耕，危者无战。二者，孝子难以为其亲，忠臣难以为其君。今欲驱其众民，与之孝子忠臣之所难，臣以为，非劫以刑而驱以赏莫可。而今，夫世俗治者，莫不释法度而任辩慧，后功力而进仁义，民故不务耕战。彼民不归其力于耕，即食屈于内；不归其节于战，则兵弱于外。入而食屈于内，出而兵弱于外，虽有地万里、带甲百万，与独立平原一贯也。

【注释】

①诎：屈服。

②谐：讲和。

【译文】

千辆兵车用来守卫国家，可以自保；万辆兵车用来征战，可以使国家巩固。即使桀做国君，也不肯向敌人说半句软话示弱。对外不能征战，对内不能防守，即使尧为国君，也不能不向不如自己的国家臣服。由此可见，国家之所以受到重视，国君之所以受到尊重，是在于实力。这两者的根本是实力，而国君们并没有全力去做，为什么？使百姓劳苦的事就是耕田，危险的事就是战争。这两件事，孝子为了父亲、忠臣为了国君，都难以做到。如今想役使百姓，让他们做孝子忠臣都难以做到的事，我以为，除非用刑罚来威逼、以奖赏来驱使不可。现在的国君，没有不放弃法度而任用巧言和智慧的人，把功劳和力量放在后面，把仁义放在前面，所以百姓不致力于耕战。百姓不致力于耕田，粮食就缺乏，不致力于作战，对外兵力就弱。在内缺乏粮食，对外兵力薄弱，即使土地万里，将士百万，就同独自一人站在平原上一样。

【原文】

且先王能令其民蹈白刃，被矢石，其民之欲为之，非好学之，所以避害。故吾教令：民之欲利者，非耕不得；避害者，非战不免。境内之民莫不先务耕战，而后得其所乐。故地少粟多，民少兵强。能行二者于境内，则霸王之道毕矣。

【译文】

先王能让百姓上刀山，冒箭石，百姓之所以想这样做，不是他们喜欢这样，而是为了免于刑罚。所以我们教令：百姓要追求利益，不耕田得不到；想避免刑罚，不作战不能免除。这样国内百姓没有不先耕战，然后得到他们想要的。所以田地少而粮食多，百姓少而军队强。能在国内推行这两点，成就霸业的道路就准备好了。

定分第二十六

【解题】

定分，即确定名分。本篇论述如何迅速普及法令并使之得到实施的问题。

【原文】

公问于公孙鞅曰："法令以当时立之者，明旦欲使天下之吏民皆明知而用之，如一而无私，奈何？"

【译文】

秦孝公问公孙鞅："今天制定的法令，明天清晨就想让全国的官吏和百姓都明确了解执行，一致推行，没有奸私，应该怎么办？"

【原文】

公孙鞅曰：为法令，置官吏，朴足以知法令之谓者，以为天下正，则奏天子。天子若[①]，则各主法令之。皆降，受命发官，各主法令之。民敢忘行法令之所谓之名，各以其所忘之法令名罪之。主法令之吏有迁徙物故[②]，辄使学读法令所谓。为之程式，使日数而知法令之所谓；不中程，为法令以罪之。有敢剟[③]定法令、损益一字以上，罪死不赦。诸官吏及民，有问法令之所谓也于主法令之吏，皆各以其故所欲问之法令，明告之。各为尺六寸之符[④]，明书年、月、日、时、所问法令之名，以告吏民。主法令之吏不告，及之罪，而法令之所谓也，皆以吏民之所问法令之罪，各罪主法令之吏。即以左券予吏之问法令者，主法令之吏，谨藏其右券木柙；以室藏之，封以法令之长印。即后有物故，以券书从事。

【注释】

①若：通“诺”，许可。

②物故：死亡。

③剟（duō）：删改。

④符：符信，凭证。

【译文】

公孙鞅说：制定法令，设置官吏，资质足以知道法令内容的人，可以任用作为官吏，推荐给天子，天子准许，就命令他们主管法令。他们接受诏令受命前去上任，各自主管当地的法令，百姓敢忘记法令的名目，就用他所忘记的法令惩罚他。主管法令的官吏，若有变动或死去，就立刻命继任者学习阅读法令，为他指出规划，让他几日内就通晓法令内容，不能按规划完成就惩罚他。若有敢删改法令、增减一个字以上的，就是死罪绝不赦免。官吏和百姓若向主管法令的官吏询问法令的具体内容，主管法令的官吏必须根据他们的问题明确答复。而且要制一个一尺六寸的符券，写明年、月、日、时间和所问法令的内容，告诉官吏和百姓。如果不告诉，等到他们犯罪，正是他们询问的那一条，就按询问的那条罪状来惩罚主管法令的官吏。在询问时，就要把符券的左片给询问的人，主管官吏将右片装入木匣，保存在屋子中，用主管官吏的印封上，即使以后当事人死了，也根据符券办事。

【原文】

法令皆副，置一副天子之殿中，为法令为禁室，有键钥①，为禁②而以封之，内藏法令一副禁室中，封以禁印。有擅发③禁室印，及入禁室视禁法令，及剟禁一字以上，罪皆死不赦。一岁受④法令以禁令。

【注释】

①键钥：锁钥。

②禁：封条。

③发：开启。

④受：授予。

【译文】

法令都有副本，一份放在国君的宫殿中，给法令建一个禁室，有锁钥，用封条封起来，将法令副本藏在里面，封上禁印。擅自开启禁室印封、进入禁室偷看法令、删改禁室法令一个字以上的，都是死罪，不赦免。每年一次，将禁室所藏法令颁发给官吏。

【原文】

天子置三法官：殿中置一法官，御史置一法官及吏，丞相置一法官。诸侯、郡、县皆各为置一法官及吏，皆比秦一法官。郡、县、诸侯一受赍①来之法令，学问并所谓。吏民欲知法令者，皆问法官。故天下之吏民，无不知法者。吏明知民知法令也，故吏不敢以非法遇民，民不敢犯法以干法官也。遇[2]民不修法，则问法官，法官即以法之罪告之，民即以法官之言正告之吏。吏知其如此，故吏不敢以非法遇民，民又不敢犯法。如此，天下之吏民，虽有贤良辩慧不能开一言以枉法；虽有千金，不能以用一铢。故知诈贤能者皆作而为善，皆务自治奉公。民愚则易治也，此所生于法明白易知而必行。

【注释】

①赍（jī）：送。

②遇：对待。

【译文】

天子设置三位法官：宫殿中设置一位法官，御史中间设置一位法官和法吏，丞相旁设置一位法官。诸侯、郡、县都设置一位法官和法吏，全都比照秦都的法官。诸侯、郡、县一旦接受送来的法令，就学习询问法令的内容。官吏和百姓想知晓法令，都要询问法官，所以天下官吏、百姓没有不知晓法令的。官吏知晓百姓知道法令，所以不敢非法对待百姓，百姓不敢犯法触犯法官。官吏对百姓不遵守法令的，百姓可以询问法官，法官就将法令规定的罪名告诉他们，百姓就用法官的话警告官吏。官吏知道如此，就不敢非法对待百姓，百姓也不敢犯法。国内官吏和百姓，即使有贤良、善辩和智慧的人，也不能说一句违法的话，即使富有千金，也不能用一铢违法的钱。于是狡诈贤能的人都去做好事，都自治奉公。百姓愚昧就容易管理，这是因为法令明白易懂一定执行。

【原文】

法令者，民之命也，为治之本也，所以备民也。为治而去法令，犹欲无饥而去食也，欲无寒而去衣也，欲东而西行也，其不几亦明矣。一兔走，百人逐之，非以兔为可分以为百，由名分之未定也。夫卖兔者满市，而盗不敢取，由名分已定也。故名分未定，尧、舜、禹、汤且皆如鹜焉而逐之；名分已定，贪盗不取。今法令不明，其名不定，天下之人得议之。其议，人异而无定。人主为法于上，下民议之于下，是法令不定，以下为上也。此所谓名分之不定也。夫名分不定，尧、舜犹将皆折①而奸之，而况众人乎？此令奸恶大起、人主夺威势、亡国灭社稷之道也。今先圣人为书而传之后世，必师受之，乃知所谓之名；不师受之，而人以其心意议之，至死不能知其名与其意。故圣人必为法令置官也，置吏也，为天下师，所以定名分也，名分定，则大诈贞信，巨盗愿②悫，而各自治也。故夫名分定，势治之道也；名分不定，势乱之道也。故势治者不可乱，势乱者不可治。夫势乱而治之，愈乱；势治而治之，则治。故圣王治治，不治乱。

【注释】

①折：弯曲。

②愿：老实。

【译文】

法令是百姓的生命，治国的根本，是用来保护百姓的。治国而抛弃法令，就像想不挨饿却抛弃粮食，想不受冻却抛弃衣服，想到东方却向西走，不能实现是很明显的。一只兔子窜逃，上百个人去追，不是因为兔子可以分成上百份，是因为兔子的所有权没有定。市场上卖兔子的很多，盗贼都不敢偷，因为所有权明确。所以，当事物的名分没有确定前，即使是尧、舜、禹、汤也会像奔马似的追逐，而名分确定后，即使是贪婪的盗贼也不敢夺取。如今法令不明确，条目不确定，百姓都会评议，众说纷纭，没有定说。国君在上制定法令，百姓在下议论纷纷，这是法令不定，以下代上，这就是名分不定。名分不定尧、舜尚且会违法，何况百姓。这样就使奸恶大兴，国君失去权威，这是国家灭亡的原因。就像古代圣人著书，流传后世，必须由教师教授，才能知道具体内容，如果不用教师传授，大家都按自己的想法去读，到死时也不能知道书中文字的含义。所以，圣人一定给法令设置法官。设置法官做教师，是为了定名分。名分确定，奸诈之人可以变得正直诚实，百姓都谨慎忠诚，而且都能自治。确定名分是社会太平的办法，不确定名分是社会混乱的原因。社会太平就不会乱；社会混乱就不会太平。社会混乱再治理，就会更乱；社会太平再治理，才会更太平。圣王在社会太平时治国，不是在社会混论时治国。

【原文】

夫微妙意志之言，上知之所难也。夫不待法令绳墨，而无不正者，千万之一也。故圣人以千万治天下，故夫知者而后能知之，不可以为法，民不尽知。贤者而后知之，不可以为法，民不尽贤。故圣人为法必使之明白易知，名正，愚知遍能知之。为置法官，置主法之吏，以为天下师，令万民无陷于险危。故圣人立，天下而无刑死者，非不刑杀也，行法令，明白易知，为置法官吏为之师，以道①之知。万民皆知所避就②，避祸就福，而皆以自治也。故明主因治而终治之，故天下大治也。

【注释】

①道：通“导”，引导。

②就：靠近。

【译文】

微妙思想的言论，上等智慧的人也不易理解。不须要法令当作准绳而行为没有不正确的，千万人中也只有一个。圣人是针对千万人来治理天下，所以只有智者才理解的不能用来作为法令，因为百姓并不都是智者。只有贤能的人能理解的，不能用来作法令，因为百姓并不都是贤人。所以圣人制定法令，一定明白易懂，愚人智者都能知晓。设置法官，设置法吏，作为百姓的教师，使百姓不陷入犯法的危险境地。所以圣人掌握政权，天下没有受刑被杀的人，并不是他不用刑罚杀人，而是法令明白易懂，为百姓设置法官、法吏，教他们懂得法令。百姓都知道应躲避什么、亲近什么。避祸近福，而且都能自律。明君在百姓自律的基础上治理国家，天下就大治了。

附录一　六法

唐代魏徵辑录的《群书治要》录有《商君子》中《六法》《修权》《定分》的文字。其中，《六法》是今本《商君书》二十六篇中没有的篇目，特转录于此，作为参考。

先王当时而立法，度务而制事。法宜其时，则治；事适其务，故有功。然则法有时而治，事有当而功。今时移而法不变，务易而事以古，是法与时诡，而事与务易也。故法立而乱益，务为而事废。故圣人之治国也，不法古，不循今，当时而立功，在难而能免。今民能变俗矣，而法不易；国形更势矣，而务以古。夫法者，民之治也；务者，事之用也。国失法则危，事失用则不成。故法不当时而务不适用而不危者，未之有也。

附录二　史记·商君列传

商君者，卫之诸庶孽公子也，名鞅，姓公孙氏，其祖本姬姓也。鞅少好刑名之学，事魏相公叔座为中庶子。公叔座知其贤，未及进。会座病，魏惠王亲往问病，曰："公叔病有如不可讳，将奈社稷何？"公叔曰："座之中庶子公孙鞅，年虽少，有奇才，愿王举国而听之。"王嘿然。王且去，座屏人言曰："王即不听用鞅，必杀之，无令出境。"王许诺而去。公叔座召鞅谢曰："今者王问可以为相者，我言若，王色不许我。我方先君后臣，因谓王'即弗用鞅，当杀之'。王许我。汝可疾去矣，且见禽。"鞅曰："彼王不能用君之言任臣，又安能用君之言杀臣乎？"卒不去。惠王既去，而谓左右曰："公叔病甚，悲乎，欲令寡人以国听公孙鞅也，岂不悖哉！"

公叔既死，公孙鞅闻秦孝公下令国中求贤者，将修缪公之业，东复侵地，乃遂西入秦，因孝公宠臣景监以求见孝公。孝公既见卫鞅，语事良久，孝公时时睡，弗听。罢而孝公怒景监曰："子之客妄人耳，安足用邪！"景监以让卫鞅。卫鞅曰："吾说公以帝道，其志不开悟矣。"后五日，复求见鞅。鞅复见孝公，益愈，然而未中旨。罢而孝公复让景监，景监亦让鞅。鞅曰："吾说公以王道而未入也。请复见鞅。"鞅复见孝公，孝公善之而未用也。罢而去。孝公谓景监曰："汝客善，可与语矣。"鞅曰："吾说公以霸道，其意欲用之矣。诚复见我，我知之矣。"卫鞅复见孝公。公与语，不自知膝之前于席也。语数日不厌。景监曰："子何以中吾君？吾君之欢甚也。"鞅曰："吾说君以帝王之道比三代，而君曰：'久远，吾不能待。且贤君者，各及其身显名天下，安能邑邑待数十百年以成帝王乎？'故吾以强国之术说君，君大说之耳。然亦难以比德于殷、周矣。"

孝公既用卫鞅，鞅欲变法，恐天下议己。卫鞅曰："疑行无名，疑事无功。且夫有高人之行者，固见非于世；有独知之虑者，必见敖于民。愚者暗于成事，知者见于未萌。民不可与虑始而可与乐成。论至德者不和于俗，成大功者不谋于众。是以圣人苟可以强国，不法其故；苟可以利民，不循其礼。"孝公曰："善。"甘龙曰："不然。圣人不易民而教，知者不变法而治。因民而教，不劳而成功；缘法而治者，吏习而民安之。"卫鞅曰："龙之所言，世俗之言也。常人安于故俗，学者溺于所闻。以此两者居官守法可也，非所与论于法之外也。三代不同礼而王，五伯不同法而霸。智者作法，愚者制焉；贤者更礼，不肖者拘焉。"杜挚曰："利不百，不变法；功不十，不易器。法古无过，循礼无邪。"卫鞅曰："治世不一道，便国不法古。故汤武不循古而王，夏殷不易礼而亡。反古者不可非，而循礼者不足多。"孝公曰："善。"以卫鞅为左庶长，卒定变法之令。

令民为什伍，而相牧司连坐。不告奸者腰斩，告奸者与斩敌首同赏，匿奸者与降敌同罚。民有二男以上不分异者，倍其赋。有军功者，各以率受上爵；为私斗者，各以轻重被刑大小。僇力本业，耕织致粟帛多者复其身。事末利及怠而贫者，举以为收孥。宗室非有军功论，不得为属籍。明尊卑爵秩等级，各以差次名田宅，臣妾衣服以家次。有功者显荣，无功者虽富无所芬华。

令既具，未布，恐民之不信，已乃立三丈之木于国都市南门，募民有能徙置北门者予十金。民怪之，莫敢徙。复曰"能徙者予五十金"。有一人徙之，辄予五十金，以明不欺。卒下令。

令行于民期年，秦民之国都言初令之不便者以千数。于是太子犯法。卫鞅曰："法之不行，自上犯之。"将法太子。太子，君嗣也，不可施刑，刑其傅公子虔，黥其师公孙贾。明日，秦人皆趋令。行之十年，秦民大说，道不拾遗，山无盗贼，家给人足。民勇于公战，怯于私斗，乡邑大治。秦民初言令不便者有来言令便者，卫鞅曰"此皆乱化之民也"，尽迁之于边城。其后民莫敢议令。

于是以鞅为大良造。将兵围魏安邑，降之。居三年，作为筑冀阙宫庭于咸阳，秦自雍徙都之。而令民父子兄弟同室内息者为禁。而集小乡邑聚为县，置令、丞，凡三十一县。为田开阡陌封疆，而赋税平。平斗桶权衡丈尺。行之四年，公子虔复犯约，劓之。居五年，秦人富强，天子致胙于孝公，诸侯毕贺。

其明年，齐败魏兵于马陵，虏其太子申，杀将军庞涓。其明年，卫鞅说孝公曰：“秦之与魏，譬若人之有腹心疾，非魏并秦，秦即并魏。何者？魏居领阨之西，都安邑，与秦界河而独擅山东之利。利则西侵秦，病则东收地。今以君之贤圣，国赖以盛。而魏往年大破于齐，诸侯畔之，可因此时伐魏。魏不支秦，必东徙。东徙，秦据河山之固，东乡以制诸侯，此帝王之业也。”孝公以为然，使卫鞅将而伐魏。魏使公子卬将而击之。军既相距，卫鞅遗魏将公子卬书曰：“吾始与公子欢，今俱为两国将，不忍相攻，可与公子面相见，盟，乐饮而罢兵，以安秦、魏。”魏公子卬以为然。会盟已，饮，而卫鞅伏甲士而袭虏魏公子卬，因攻其军，尽破之以归秦。魏惠王兵数破于齐、秦，国内空，日以削，恐，乃使使割河西之地献于秦以和。而魏遂去安邑，徙都大梁。梁惠王曰：“寡人恨不用公叔座之言也。”卫鞅既破魏还，秦封之於、商十五邑，号为商君。

商君相秦十年，宗室贵戚多怨望者。赵良见商君。商君曰：“鞅之得见也，从孟兰皋，今鞅请得交，可乎？”赵良曰：“仆弗敢愿也。孔丘有言曰：‘推贤而戴者进，聚不肖而王者退。’仆不肖，故不敢受命。仆闻之曰：‘非其位而居之曰贪位，非其名而有之曰贪名。’仆听君之义，则恐仆贪位贪名也。故不敢闻命。”商君曰：“子不说吾治秦与？”赵良曰：“反听之谓聪，内视之谓明，自胜之谓强。虞舜有言曰：‘自卑也尚矣。’君不若道虞舜之道，无为问仆矣。”商君曰：“始秦戎翟之教，父子无别，同室而居。今我更制其教，而为其男女之别，大筑冀阙，营如鲁卫矣。子观我治秦也，孰与五羖大夫贤？”赵良曰：“千羊之皮，不如一狐之掖；千人之诺诺，不如一士之谔谔。武王谔谔以昌，殷纣墨墨以亡。君若不非武王乎，则仆请终日正言而无诛，可乎？”商君曰：“语有之矣，貌言华也，至言实也，苦言药也，甘言疾也。夫子果肯终日正言，鞅之药也。鞅将事子，子又何辞焉！”赵良曰：“夫五羖大夫，荆之鄙人也。闻秦缪公之贤而愿望见，行而无资，自粥于秦客，被褐食牛。期年，缪公知之，举之牛口之下，而加之百姓之上，秦国莫敢望焉。相秦六七年，而东伐郑，三置晋国之君，一救荆国之祸。发教封内，而巴人致贡；施德诸侯，而八戎来服。由余闻之，款关请见。五羖大夫之相秦也，劳不坐乘，暑不张盖，行于国中，不从车乘，不操干戈，功名藏于府库，德行施于后世。五羖大夫死，秦国男女流涕，童子不歌谣，舂者不相杵。此五羖大夫之德也。今君之见秦王也，因嬖人景监以为主，非所以为名也。相秦不以百姓为事，而大筑冀阙，非所以为功也。刑黥太子之师傅，残伤民以骏刑，是积怨畜祸也。教之化民也深于命，民之效上也捷于令。今君又左建外易，非所以为教也。君又南面而称寡人，日绳秦之贵公子。《诗》曰：‘相鼠有体，人而无礼，人而无礼，何不遄死。’以《诗》观之，非所以为寿也。公子虔杜门不出已八年矣，君又杀祝懽而黥公孙贾。《诗》曰：‘得人者兴，失人者崩。’此数事者，非所以得人也。君之出也，后车十数，从车载甲，多力而骈胁者为骖乘，持矛而操阘戟者旁车而趋。此一物不具，君固不出。《书》曰：‘恃德者昌，恃力者亡。’君之危若朝露，尚将欲延年益寿乎？则何不归十五都，灌园于鄙，劝秦王显岩穴之士，养老存孤，敬父兄，序有功，尊有德，可以少安。君尚将贪商於之富，宠秦国之教，畜百姓之怨，秦王一旦捐宾客而不立朝，秦国之所以收君者，岂其微哉？亡可翘足而待。”商君弗从。

后五月而秦孝公卒，太子立。公子虔之徒告商君欲反，发吏捕商君。商君亡至关下，欲舍客舍。客人不知其是商君也，曰：“商君之法，舍人无验者坐之。”商君喟然叹曰：“嗟乎，为法之敝一至此哉！”去之魏。魏人怨其欺公子卬而破魏师，弗受。商君欲之他国。魏人曰：“商君，秦之贼。秦强而贼入魏，弗归，不可。”遂内秦。商君既复入秦，走商邑，与其徒属发邑兵北出击郑。秦发兵攻商君，杀之于郑黾池。秦惠王车裂商君以徇，曰：“莫如商鞅反者！”遂灭商君之家。

太史公曰：商君，其天资刻薄人也。迹其欲干孝公以帝王术，挟持浮说，非其质矣。且所因由嬖臣，及得用，刑公子虔，欺魏将卬，不师赵良之言，亦足发明商君之少恩矣。余尝读商君《开塞》《耕战》书，与其人行事相类。卒受恶名于秦，有以也夫！